L'AMOUR AU PAYS BLEU

Hector France

A ma chère Irma, mon amie fidèle dans mes bons et mauvais jours, je dédie cette nouvelle édition du livre qu'elle aime.

PRÉFACE DE LA PREMIÈRE ÉDITION

A CAMILLE DELTHIL

A cheval, au milieu des cavaliers rouges, j'ai jeté les premières ébauches de ce livre. Et ces feuilles volantes, roussies par le soleil, maculées par la pluie et les nuits humides, froissées sur la selle, lacérées, perdues dans les camps, je les avais oubliées.

Mais un soir de décembre, alors que le brouillard de Londres, pesant sur les poitrines, glissait avec le spleen *par les fissures des portes et des fenêtres mal closes, j'ai voulu aussi oublier et l'exil et l'heure et l'inexorable temps.*

Et ainsi qu'une cavale que l'amour talonne, ma pensée, brisant ses entraves, s'est échappée dans les espaces, remontant les jours écoulés, jusqu'aux rives lointaines où le ciel est bleu.

Ah! les joyeuses gambades au fond des vallées, que bordent les coteaux où poussent drus, oliviers, grenadiers et cactus; les courses dans la plaine, le long des rubans de lauriers roses, gracieux festons de la rivière aux bords effrités et crayeux, les longues haltes sous les tamariniers touffus, près de la source fraîche où, dans une amphore étrusque, vient puiser la fille aux yeux noirs. Puis, à l'entrée des solitudes où s'aventurent les caravanes, les furieux galops derrière les gazelles, tandis qu'au fond des ardents horizons, la blanche silhouette du minaret du ksour et la tête chevelue des dattiers de l'oasis tremblent dans l'air diaphane!

J'ai rassemblé les pages éparses, et pendant les longues heures de nuit, alors que la froide bise heurtait à ma porte, je me bouchais les oreilles, et, capitonné dans mes rêves, caressé des rayons d'or des souvenirs, j'ai effacé le présent et j'ai vécu du passé....

Que les âmes pudibondes, scandalisées par mes précédents livres, se rassurent! Elles ne trouveront ici aucun sujet dangereux.

Ce sont des tableaux de la vie pastorale, et je vous les dédie, cher poète; j'y parle de la nature, que vous aimez, des grands horizons, des filles brunes et des moissons blondes, et aussi des primitifs et naïfs amours, chantés dans vos Poèmes Rustiques,*et que votre compatriote et notre ami* Léon Cladel *a jetés, comme des fleurs sauvages, sur le socle de granit de ses* rudes Paysans.

Mais ce n'est pas dans les frais sentiers «tout baignés d'aurore», où

Près de vous passe parois,
En chantant, un clair minois
De brune fillette,
Portant l'amphore de grès,
Ignorante du progrès,
Et pourtant coquette.

que je veux vous conduire; mais par les grandes plaines chauves, non loin des palmiers, là où la rustique fillette, vêtue de la tunique de Rébecca, offre, insoucieuse, ses seins, ses bras et ses jambes nus aux baisers du soleil; là-bas, sous la maison de poil des paysans du Tell, plus majestueux sous leurs burnous en loques que jamais ne le furent les plus nobles patriciens, chez les paisibles pasteurs bédouis *enfin, que le sabre civilisateur a été, tant de fois, réveiller brusquement de leurs tranquilles rêves et arracher à leurs bibliques amours.*

HECTOR FRANCE

Charlton villa, Kent, mai 1880.

PROLOGUE

Derrière les molles ondulations bleues qui festonnaient le rideau du couchant, le ciel flamboyait comme une gigantesque Sodome, empourprant des ardents reflets de ses fournaises les hautes crêtes de l'Orient.

Nous étions encore enveloppés de cette lumière fauve, et déjà la plaine se noyait sous les larges couches d'ombre. Les bizarres crevasses sombres, les taches calcinées, les touffes vertes, les bosselures du sol, la nappe foncée des marais d'*Ain-Chabrou*, la bordure de lauriers accrochés aux flancs crayeux du torrent aux eaux rousses, le long ruban gris du chemin déroulant ses zigzags jusqu'aux palmiers du *Ksour*, tout s'effaçait sous le noir uniforme et profond.

Le Ksour! *Djenarah*, la perle du Souf! Des pentes élevées du *Djebel*, mon guide m'avait montré son haut minaret, dressé comme un frêle mât d'albâtre dans les vagues azurées de l'horizon. Longtemps nous vîmes la blanche aiguille étinceler aux feux de l'Occident; puis, peu à peu, elle disparut à mesure que nous descendions la montagne et que nous nous enfoncions dans la nuit.

Des formes indécises traversèrent brusquement le chemin, et de grandes chauves-souris, s'élançant des crevasses, tournoyaient autour de nos têtes.

Parfois deux étincelles ardentes luisaient dans un noir fourré, et des épaisseurs des broussailles se levaient de vagues frémissements.

Nous allions dans cette solitude peuplée d'invisibles, dans ce silence coupé de bruissements. J'écoutais machinalement le pas de nos chevaux frappant le sol pierreux d'un pied fatigué et lourd, et la note grêle des hôtes du marais qui arrivait, par intervalle, du fond de la vallée, lorsque la voix du spahis éclata gaiement dans cette tristesse:

De Skikdad à Constantine,
De Constantine à Bathna,
Quelle est donc la plus mutine
Des filleules de Fathma?

C'est Kreira!
C'est Kreira!
C'est Kreira, la jolie fille,
C'est la rose de Ouargla!

C'était un de ces poèmes lascifs que les Arabes affectionnent et chantent dans le chemin monotone, quand, pendant de longues heures, la plaine succède à la plaine et que l'œil n'a pour se reposer des teintes grises du sol brûlé que le bleu de l'horizon fuyant sans cesse devant lui.

A peine au bas de la montagne, je sommeillais, l'oreille caressée par le chant et le corps bercé par le mouvement du cheval, lorsque, dans les profondeurs silencieuses, il me sembla entendre des accents de détresse.

—Tais-toi! dis-je à Salah.

Je ne m'étais pas trompé; une seconde fois la voix retentit grave, douloureuse, lamentable. Nul mot n'arrivait distinct, mais la note désolée déchirait lugubrement la nuit.

Puis tout se tut; un silence profond s'étendit dans la plaine. On eût dit que les fauves et les reptiles, l'armée des rôdeurs nocturnes, écoutaient.

—As-tu entendu?

—Oui, répondit le spahis.

Et il continua:

Dans ses seins quand je me plonge,
L'œil perdu au paradis,
Je m'enivre, sans mensonge,
Des caresses des houris,
Par Kreira!
Par Kreira!
Par Kreira, la jolie fille,
Par la rose de Ouargla!

—Tais-toi donc! répétai-je indigné. Quelqu'un appelle au secours.

—Je sais ce que c'est. Il n'y a rien à faire: c'est la voix de *Sidi-Messaoud* (Monseigneur l'Heureux).

Monseigneur l'Heureux! Quelle dérision! J'étais tout remué par cette clameur sinistre qui vibrait à travers la distance comme les derniers échos d'un désastre. Quel est donc l'*heureux* qui gémit ainsi?

Nous allions, et plus d'une heure s'était écoulée, que ma pensée, encore arrêtée là-bas où j'avais entendu le cri lugubre, s'y cramponnait et ne voulait plus revenir. Salah continuait ses couplets avec une infatigable ardeur, mais soudain il se tut.

La voix venait de retentir plus rapprochée, et nous entendîmes distinctement, par trois fois, ce nom jeté comme un sanglot:

—Afsia! Afsia! Afsia!

L'appel déchirant remuait douloureusement le cœur. Il sembla pour un moment avoir touché celui du spahis, perçant comme une vrille la rude écorce de soldat, car il arrêta son cheval.

Dans les teintes grises du chemin, je voyais sa grande silhouette noire, son fusil posé en travers sur le *Kerbouk* de la selle, et, sous la cuisse, son sabre, dont le fourreau d'acier et la poignée de cuivre scintillaient dans la nuit.

La tête enveloppée du capuchon pointu, les burnous serrés au corps, il restait incliné, immobile et pensif.

—Qu'est-ce donc? lui demandai-je, lorsque, pour la troisième fois, les accents désespérés furent éteints; qui appelle ainsi, à pareille heure et dans ce désert?

—Rien qui puisse t'inquiéter, me répondit-il en riant. C'est Sidi-Messaoud qui demande sa fiancée.

Et il reprit le chant d'amour:

Ses lèvres sont une coupe
Où je bois la volupté.
Et sur sa divine croupe
J'irais dans l'éternité
Sur Kreira!
Sur Kreira!
Sur Kreira, la jolie fille,
Sur la rose de Ouargla!

Je ne pus rien tirer de lui, et pendant mon passage au Ksour les hommes de Djenarah évitèrent de me répondre; puis, devant les incidents si multiples de la vie d'un soldat d'Afrique, ce souvenir s'effaça.

Ce ne fut que plusieurs années après, de retour à Constantine, que j'appris par hasard, du *Thaleb* El-Hadj-Ali-bou-Nahr, la dramatique histoire de Monseigneur l'Heureux.

Ce Thaleb, Ali-bou-Nahr, décoré du titre d'El Hadj comme tous les musulmans ayant fait le pèlerinage de la Mecque, il est peu de spahis français qui ne l'aient connu. Je parle de ceux qui ont séjourné à Constantine vers 1860, alors que nous habitions la caserne *Sidi-Nemdil*, au centre du quartier arabe, en face d'une petite mosquée pittoresque depuis longtemps tombée sous la pioche des niveleurs de rues.

Le thaleb avait ouvert boutique à quelques pas de notre porte; là, il louait sa plume et son style aux amants illettrés, calligraphiait d'une main magistrale des versets du Koran, posait des ventouses et vendait des amulettes. C'est dire qu'il était à la fois écrivain public, barbier, chirurgien et quelque peu sorcier.

Homme juste et jouissant d'une grande réputation de sagesse, philosophe et lettré, il avait, de la Mecque, voyagé dans l'Europe. Citateur enthousiaste du Koran, qu'il interprétait à sa façon comme les Puritains interprètent la Bible, il observait ostensiblement le Ramadan et ne buvait du vin que la nuit.

—Les lois du Prophète, disait-il, sont faites pour le vulgaire imbécile. Pour nous, les sages, notre loi, c'est notre conscience. Mais il faut sauvegarder les apparences, à cause des ignorants. Si le Koran autorisait le vin, toute la canaille se soûlerait.

J'ai dit qu'il vendait des amulettes.

Cette branche d'affaires était la plus lucrative. C'est à lui qu'on s'adressait de préférence quand on avait, au lever de la lune, rencontré un gros crapaud embusqué au bord du chemin, ou un petit serpent à demi caché sous l'herbe, qui vous avait regardé avec des yeux jaunes.

Il n'est pas de bonne-femme de Philippe-ville à Tuggurt, ni de pâtre du Tell, ni de chamelier du Souf, ni d'ânier de Constantine, qui ne sache que les *djenouns* prennent de préférence ces formes pour lancer plus aisément leur fluide sur le passant sans défiance. Alors, malheur à celui-ci, s'il ne se hâte de courir chez le marabout le plus proche ou, à son défaut, chez son voisin le *tebib*, acheter un talisman, unique remède contre l'esprit du mal.

Sur un petit carré de papier, de toile ou de parchemin de la grandeur et de la forme de nos vénérés scapulaires, est tracée la formule magique.

On se l'attache dévotement au cou, et pour peu qu'on ait la foi, la guérison est certaine.

Il y en a pour tous les maux et tous les maléfices. Ils préservent de la gale ou de la peste, de la mort subite ou des ophtalmies, des femmes malpropres ou du cocuage, des balles ou de la vermine. Tout dépend du prix qu'on y met.

—Quoi! disais-je, toi qu'on appelle le savant et le sage, n'as-tu pas honte de spéculer sur l'imbécillité publique?

—O mon fils! tu parles bien comme les infidèles, qui jettent de grands mots pour couvrir le vide des pensées. Est-ce moi qui ai créé l'imbécillité publique? Non; elle existe, et, comme toute infirmité humaine, elle doit profiter au savant et au sage. Est-ce le médecin qui crée les fièvres et les ophtalmies? Non, il en vit. Il vit des poudres qui tuent et des eaux qui rendent borgnes. Moi, je vis de mes amulettes, qui, si elles ne guérissent pas de l'imbécillité, guérissent du mal que cause l'imbécillité. Nous sommes tous plus ou moins charlatans, mon fils.

Le médecin est un charlatan de science, le magistrat un charlatan de morale, le soldat un charlatan de bravoure, le prêtre un charlatan de vertu. Chacun vit de son état: permets que je vive du mien. Le soleil luit pour tous; mais tant que la foule restera stupide et ignorante, elle sera la proie des habiles.

Comme tout vrai musulman, il enveloppait les chrétiens dans un profond mépris, non parce qu'ils étaient chrétiens, mais parce qu'il trouvait leur religion puérile, *étriquée* et ridicule... et s'il daigna m'honorer de son estime, c'est que je déclarai un jour être fataliste et priser le Koran fort au-dessus de l'Évangile, à cause des joies de son paradis.

—Oui, me disait-il, il y aura pour les justes des beautés éternellement vierges, des sources éternellement pures, des ombrages éternellement frais; cela ne vaut-il pas mieux que chanter éternellement des hymnes. Le fils d'Abdallah était plus pratique que le fils de Meryem. Mais hymnes ou houris, tout cela est bon pour la foule misérable.

Tu es fataliste, dis-tu? Mais le fort peut tracer sa voie à travers la fatalité.

Et il me cita ces paroles du Livre:

«A ceux qui feront le bien, le bien sera un surplus. Ni la noirceur ni la honte ne terniront l'éclat de leurs visages. A ceux qui feront le mal, la rétribution sera pareille au mal, l'ignominie les couvrira et leurs visages seront comme un lambeau de nuit.»

Quelquefois le vulgaire myope, qui ne voit que la surface des choses, dira: Regarde cet homme, il adore ses passions, il fait le mal pour le mal, son cœur est fermé comme sa main, la misère d'autrui est pour lui un bénéfice, et cependant il est gras, il est florissant, il a un beau vêtement et une belle demeure, il est heureux! Qu'il attende, le vulgaire myope, et ses yeux s'ouvriront, et à pas de géant il verra venir le châtiment vengeur, le malheur qui guette cette tête orgueilleuse et la courbera comme celle du coupable en prière. Car le Destin, Maître de l'heure, n'attend pas pour punir que la chair se détache des os, il frappe celui qui est debout.

Je connais un homme que les gens du Tell et ceux du Souf, et ceux du Sahara ont, pendant de longues années, appelé *Monseigneur l'Heureux*, et il fait pitié aux plus misérables.

—Oh! m'écriai-je, je me souviens. Une fois, non loin de Djenarah, sa voix frappa mon oreille: «Afsia! Afsia! Afsia!» Ce nom m'a longtemps poursuivi.

Et pendant que je racontais il m'écoutait d'un air sombre, m'interrompant par ses exclamations:

—*Allah Kebir! Allah Kebir!*

Puis il ajouta:

— Apporte ce soir deux peaux de bouc pleines de ce vin d'Espagne qui met la gaieté au cœur, et loin des sots qui médisent, des curieux qui envient et des femmes qui troublent, dans ma boutique bien close, je te raconterai l'histoire du *Thaleb El Messaoud*.

PREMIÈRE PARTIE

MERYEM

I

Il n'y a de Dieu que Dieu et Mohamed est le Prophète de Dieu.»

«A lui appartiennent le levant et le couchant; de quelque côté que vous vous tourniez, vous rencontrez sa face.»

Telles sont les paroles écrites dans le Livre, mais je puis te dire ce qui n'est pas écrit et que répètent ceux d'entre nous, nommés les sages.

Entre Dieu et le Prophète, est un Maître tout-puissant; il fait et défait; il éclaire et éteint.

Les uns l'appellent l'universelle Vie, mais son vrai nom, c'est l'universel Amour.

De l'homme au ciron, de la forêt de palmiers superbes à l'humble brin d'alpha, rien n'existe et ne vit que par lui. Il courbe tout ce qui est, comme l'ouragan courbe les roseaux de la source, il jette les races sur la surface du globe, comme le semeur jette les grains dans le champ.

Son temple est l'univers et la femme son autel, car, sous notre soleil, c'est ce qu'il y a de plus parfait.

Et nous disons à la place des paroles du Prophète:

«A lui appartiennent le levant et le couchant et de quelque côté que vous vous tourniez, vous rencontrez sa puissance.»

De lui tout découle, peines et joies, la mort et la vie. Il fait les sages et les fous, les heureux et les misérables, les héros et les criminels.

Sans lui l'homme est eunuque, et va châtré dans la vie comme les nègres dans le sérail.

S'il fait dévoyer le faible, il montre la route au fort et dit: «Pour moi, taille ta destinée.»

Car à moins d'être harcelé par une fatalité maudite, conséquence des crimes ou des imbécillités de ceux dont il a le sang dans les veines, le fort, ici-bas, doit faire son destin. Il tient son heur et son malheur. Et si aux portes de la vieillesse, les soucis, comme les ténèbres, s'amoncellent sur son front, qu'il n'en accuse que lui et cherche la cause en fouillant les vomissements de son passé.

II

Si ceux de Djenarah ne t'ont pas raconté l'histoire du Thaleb *El-hadj-Mansour El-Messaoud*, c'est qu'il se trouve encore dans le Ksour des hommes et des femmes que ce nom fait rougir. L'infortune qui pèse sur lui n'a pas éteint toutes les colères. Les meilleurs pardonnent, mais ne peuvent oublier.

Moi, j'estime *Sidi-Mansour* et je respecte sa misère, et si le Maître de l'heure prolonge mes jours, alors que les siens seront effacés, j'irai déposer sur le coin de terre où sa chair se transformera les offrandes dues à un grand marabout.

Cependant, celui qui sera peut-être après sa mort honoré à l'égal de *Sidi-lbrahim* ou de *Sidi-Abd-el-Kader*, fut dans sa jeunesse un homme comme il n'en faut pas.

On le disait plein d'esprit, car il avait la sagesse du diable. Tout lui réussissait parce qu'il était habile, mais il entreprenait trop souvent le mal.

Il fit de l'amour un jeu où il mit toutes ses audaces. Ah! combien il a dupé de maris et de pères, combien il a trompé de femmes, combien il a pris de virginités de filles! Qui le sait? les gens même de Djenarah ne pourraient les compter tous, car nul n'est juge dans son propre malheur; mais on raconte que non seulement Djenarah la Perle, mais les douars de Nememchas et des Ouled-Abid, les oasis du Souf jusqu'à Ouargla et Rhadamés étaient remplis des scandales de ses amours.

Il disait: «Il n'y en a pas un qui me vaille!»

Et, en effet, personne ne le valait, car personne ne put l'arrêter dans ses débordements.

Et quand les vieillards lui adressaient des reproches:

«O Mansour, celui qui prend Satan pour compagnon choisit un mauvais voisin de route», ou bien: «Un jour viendra où l'opprobre s'étendra comme une tente au-dessus de ta tête.»

Enflé d'orgueil ainsi qu'Eblis le Maudit, il répondait: «Je lèverai la tête et je crèverai l'opprobre, car je ne suis pas de ceux qui courbent le front.»

Alors ils lui disaient: «Prends garde! Il sera trop tard quand tu crieras: Je me repens. Implorerais-tu le pardon soixante-dix fois, comme il est écrit dans le Livre; invoquerais-tu Dieu par ses quatre-vingt-dix-neuf noms, ce sera trop tard.»

Et ils ajoutaient: «Souviens-toi des paroles du Prophète: «Ame pour âme, œil pour œil, nez pour nez, oreille pour oreille, dent pour dent.» La justice du talion est la saine justice.»

Mais il répondait, en riant: «Dieu seul connaît demain!»

Sous les tentes du *Beled-el-Djerid* comme sous les toits des Ksours, on raconte bien des aventures de sa jeunesse et je veux te dire la première, parce qu'elle influa sur toute sa vie.

O Dieu! ôte le regard du méchant de ses yeux, ôte lui la langue des lèvres; taille-le entre les jambes pour qu'il ne puisse engendrer des méchants comme lui. Mais pour celui qui a expié avant l'heure, sois plein de miséricorde!

III

Il avait à peine seize ans, et déjà il savait habiller le mensonge de la robe de la vérité. C'est dire qu'il était homme. Et comme il avait de l'audace et que les filles des tribus le trouvaient beau, il profitait de ces avantages pour semer le désordre. Il se glissait entre les cœurs et les séparait.

Longtemps on ignora ses intrigues, car il fut assez habile pour les tenir secrètes: seulement de vagues soupçons planaient.

C'est sur ces entrefaites que son père, *Ahmed-ben-Rahan*, cheik aux *Ouled-Ascars*, fraction des *Ouled-Sidi-Abid*, prit sa quatrième épouse.

La deuxième et la troisième étaient mortes depuis plus d'un an, et la première, la mère de Mansour, restée seule, avait dit au cheik:

—Seigneur, je suis fatiguée; je me fais vieille car j'ai bientôt trente-cinq ans et depuis vingt je te sers, fidèle, laborieuse et soumise; je t'ai toujours gardé précieusement ce que Dieu ordonne à la femme de garder à son époux et tu n'eus jamais contre moi un sujet de plainte.

Dieu a béni ma couche, car je t'ai donné pour fils le plus beau et le plus fier garçon des Ouled-Ascars. Maintenant, voici: j'ai besoin de repos. Je serai toujours ta servante et ton épouse. Mais je te prie, prends-en une autre qui m'aide à aplanir ta vie. Prends-la belle, pour qu'elle réjouisse ta vue; jeune et forte, pour qu'elle puisse longtemps te servir.

Et le cheik choisit une toute jeune fille du pays des *Beni-Mzab* aux plaines sablonneuses, qui n'avait pas encore vu quatorze fois fleurir les palmiers. Ses lèvres avaient la couleur des grenades rouges et ses yeux le reflet des lames des yatagans tirés au soleil.

Elle s'appelait *Meryem*.

IV

Dès qu'il vit cette douce étoile briller sous la tente paternelle, Mansour sentit son cœur s'amollir; et quand pour la première fois elle laissa tomber devant lui le voile de sa face, il crut contempler une des houris que le Prophète promet aux élus.

Il sortit tout agité de la tente et s'en alla, marchant sans savoir où. Il voulait cacher à tous son trouble, car il craignait qu'on ne lût sur son front les pensées qui l'agitaient.

Le lendemain, il dit à *Kradidja*, sa mère:

—Mère, il faut que je parte d'ici.

—Pourquoi? tu ne peux quitter la tente au moment où vient d'entrer une hôtesse nouvelle. Les noces ne sont pas finies et tu parles de partir? Veux-tu donc irriter ton père, qui supposera que l'étrangère s'est attiré ta malveillance?

—Qui pourrait croire une telle chose! Oh! plut à Dieu, ma mère, que tu me trouves une pareille épouse.

—Je te trouverai mieux, dit-elle.

Mais il secoua la tète.

Alors elle le regarda attentivement. Ce fils, elle l'aimait et l'admirait; c'était sa joie et son orgueil et elle avait pour lui toutes les coupables faiblesses des mères.

Déjà plus d'une fois, elle avait entendu quelques propos des équipées de Mansour, lorsque les femmes vont à la fontaine et se racontent les choses que les maris doivent ignorer; elle écoutait les récits et les plaintes et souriait.

Elle pensait dans son maternel égoïsme:

—Qu'il n'arrive rien de fâcheux à l'enfant; les autres, c'est leur affaire. Dieu veille sur tous; chacun veille sur soi.

Et jamais à son fils elle n'adressa un reproche; jamais elle ne dit au père: «Ton aîné suit une mauvaise voie.»

Mais cette fois, elle eut peur et, prenant la tête du jeune homme dans ses mains, l'attira sous ses lèvres:

—Enfant, oui, je le vois, il faut que tu partes. Tu iras t'asseoir sous la tente de mon frère, le caïd Abdallah; il t'inscrira au nombre des cavaliers de son *goum* et s'il plaît à Dieu, tu reviendras avec une épouse. Ce jour même, j'en parlerai à Ahmet; en attendant, veille sur toi, veille sur tes actes et sur tes regards. Le Prophète a dit: «Ne prenez pas les femmes qui ont été les épouses de vos frères, c'est une turpitude.» Mais il n'a pas parlé de celui qui volerait l'épouse de son père, tant est grande l'abomination.

Mansour troublé et confus voulut se récrier; alors Kradidja mit un doigt sur ses lèvres et répéta:

—Une abomination!

V

Mais quand Kradidja parla d'éloigner Mansour, le cheik répondit qu'il ne consentirait pas, à l'heure présente, de se séparer de l'aîné de ses fils. Il en avait besoin pour surveiller ses troupeaux et surtout pour la moisson prochaine. La femme n'osa pas insister et Mansour resta sous la tente.

En apprenant la décision du cheik, il ne put éteindre l'éclair qui alluma son regard.

—O pervers, lui dit sa mère, à quoi penses-tu?

—Je pense que dans toutes les tribus du Souf, il n'en est pas de plus folle que toi. Que vas-tu imaginer? Et en supposant que ce que tu imagines soit réel, est-ce que jamais Meryem consentirait?

—La femme est comme le jonc qui croît au bord des sources, répondit Kradidja; elle se plie aux caprices de celui qui la tient.

—Je ne la tiens pas, puisqu'elle est à mon père.

—La femme n'a qu'un cœur, et son cœur n'est qu'à celui qui sait le prendre.... Paix! enfant, et veille sur toi.

Mais ces paroles, loin de l'effrayer, semblaient un encouragement. Il en est ainsi qui, par leur criminelle complaisance, poussent leurs fils à toutes les folies.

Quoi qu'il en fut, lorsqu'un matin le cheik s'éloignait de la tente, il s'y glissait sans bruit et, caché derrière les hamals de grains qui contiennent la provision de l'année pour les gens et les bêtes, immobile et silencieux, il feignait de dormir. Mais il regardait Meryem à travers les interstices et les ouvertures, et parfois même, s'enhardissant, il soulevait du doigt le bas du tag bariolé qui divise en deux les maisons de poil et assistait, invisible, à la toilette de la nouvelle épousée.

Elle avait la peau brune aux reflets dorés et de grands cheveux noirs ondoyant jusqu'au bas des reins. Il y plongeait ses regards et noyait ses pensées en une mer de désirs, tandis que les capiteuses odeurs, particulières aux brunes, mélangées aux parfums de la rose et du musc troublaient son cerveau. Il comprenait alors qu'il n'aurait plus la force de rien respecter et se levait sans bruit, courant rejoindre ses troupeaux dans la plaine, croyant respirer encore, bien qu'il fut loin, les senteurs enivrantes et laissant son âme attachée où s'étaient attachés ses yeux.

VI

Il n'allait plus attendre les femmes, quand elles vont chercher les branches sèches des genêts et du chichh ou la provision d'eau dans les peaux de bouc noires; on ne le voyait plus, comme autrefois, diriger son troupeau du côté de la rivière à l'heure où, demi-nues, elles font la grande ablution.

Alors les jeunes filles rougissaient et chuchotaient entre elles, lorsqu'elles apercevaient tout à coup près d'une touffe de lauriers roses les yeux ardents du fils du cheik.

Quelques-unes, feignant de ne pas le voir, continuaient l'aspersion des flancs, tandis que les plus modestes se relevaient vivement en baissant leur gandourah, effrayées et honteuses. Mais les vieilles, entraient dans de grandes colères et criaient:

—Que regardes-tu, enfant du mal?

—Pas vous, ripostait-il. Vous pouvez vous laver sans crainte.

—Va, va; tu te laverais pendant l'éternité que tu ne parviendrais pas à effacer tes abominations.

—Ni vous, vos laideurs. Cachez-les, elles salissent ma vue.

—Tu deviendras vieux à ton tour; les jeunes ne voudront plus de toi et cracheront sur ta barbe.

—Est-ce parce qu'ils ne veulent plus de vous que vous crachez sur les jeunes?

Elles bavaient de rage et lançaient leur salive dans sa direction en signe de mépris, et lui s'en allait en les narguant, poursuivi par leurs furieuses menaces:

—Oh! le fils de chien! oh! le juif maudit! tes femmes te feront cocu cent fois et mettront des montagnes d'ignominie sur ta tête. Tu fais honte aux croyants! Tu ne passeras jamais le *Sirak!* Tu rouleras d'abîmes en abîmes! Juif! cocu! proxénète! chien!

D'autres fois, caché dans les buissons de genévriers, il guettait les jeunes filles au passage et lorsqu'elles étaient près de lui, qu'il voyait leur légère tunique onduler sous le souffle du soir, il les appelait tout bas par leur nom:

—Fathma, je t'aime!

—Embarka, je meurs d'amour!

—Yamina, tout pour toi.

—Mabrouka, ma vie pour ton regard.

Et ainsi à toutes, car il les aimait toutes, selon l'habitude des adolescents qui se sentent pousser le duvet au menton.

VII

Maintenant les filles des Ouled-Ascars ne le rencontraient plus. Elles, ne sentaient plus ses regards s'attacher à elles, les déshabiller et les suivre; elles n'entendaient plus les propos dont elles aimaient à rire, ni la grande colère des vieilles qui les mettaient en joie.

Et on dit à Kradidja:

—Ou le génie des bons conseils a soufflé à l'oreille de ton fils, ou bien l'amour l'a pris.

Elle connaissait bien la passion qui l'étreignait, mais n'eût osé le dire. Pour le plaisir de ce fils, elle aurait tout sacrifié: les filles de la tribu, l'honneur des familles, Meryem, sa co-épouse, et son époux Ahmet.

Elle fit cependant une nouvelle tentative.

—O cheik, lui dit-elle, une nuit qu'il vint la trouver dans sa couche,—car la bienséance exige que l'homme donne également à chacune de ses femmes la part qui lui est due, et il est écrit: «Celui qui a deux femmes et qui se penche vers l'une plutôt que vers l'autre, paraîtra au Jugement avec des fesses inégales.» —O mon cher époux, je ne demande rien de mes droits, tu es mon seigneur et mon maître, conserve ta vigueur pour Meryem, car je sais ce que le Prophète a dit:

«Tu peux donner de l'espoir à celle que tu voudras, et recevoir dans ta couche celle que tu voudras, et celle que tu désires de nouveau après l'avoir négligée. Qu'elles ne soient jamais affligées, que toutes soient satisfaites de ce que tu leur accordes.»

Je suis satisfaite de ta bonne volonté; car que peuvent être pour toi mes charmes flétris, après l'enivrement des charmes de la belle Meryem. Je ne suis pas jalouse; j'ai eu ma part et ce fut la plus belle, puisque j'ai eu ta jeunesse et ta pleine virilité. Mais écoute un conseil de ta vieille et première épouse: Éloigne ton fils d'ici. Dans les plaines paisibles des Ouled-Ascars, les jeunes gens s'endorment dans l'oisiveté. Envoie-le aux Ksours chez le caïd des Nememchas; qu'il apprenne la science des *tolbas* ou qu'il entre dans ses*mokalis*, car ici il se perd avec les filles de la tribu et nous attirera quelque fâcheuse affaire.

Le cheik réfléchit un instant, puis répondit:

— Kradidja, bien-aimée, toi qui fus la fraîcheur de ma vue et qui es maintenant le repos de ma tête, ne sais-tu pas que tous les jeunes gens sont ainsi? C'est aux mères à garder leurs filles et non aux pères à garder leurs fils. Mais puisque tu tiens à ce que ton fils s'éloigne, ce ne peut être que pour son bien. Donc, plus tard, nous en reparlerons, quand la moisson sera faite. Viens donc, la nouvelle amie ne peut faire oublier l'ancienne.

— Hélas! pensa Kradidja, c'est pour éviter qu'il ne moissonne dans ton champ que je voudrais voir l'enfant partir. Maintenant, fais ce que tu veux.

Mais elle n'osait donner des paroles à ses pensées, de peur d'attirer sur la tête chérie du fils la malédiction du père.

VIII

Les vieux maris sont soupçonneux et la jalousie cruelle les talonne sans relâche. C'est un *dijn* malfaisant et moqueur qui se plaît à harceler le coupable; car il est coupable celui qui glace de ses froids hivers les doux bourgeons du printemps.

Déjà le cheik marchait à grands pas vers la quarantaine, que celle qu'il devait prendre pour femme sortait à peine du ventre de sa mère; aussi il la surveillait et la gardait comme l'avare qui ayant empilé ses douros dans un *fondouk*, se couche dessus nuit et jour, et crève en disant: «Nul ne me volera.»

Alors quelqu'héritier jette en bas la carcasse, force le coffre et dissipe le *magot*.

Il ne pouvait la garder dans un sac, ni la tenir cousue à son burnous, mais il avait l'œil constamment ouvert. Elle n'allait pas à la fontaine avec les autres femmes, ni dans la plaine arracher les tiges desséchées des herbes dures, ni casser les branches mortes des genêts qui servent à alimenter les feux; mais, au lever de l'aurore, elle tournait le moulin de pierre qui broie le blé du jour. Elle avait soin de relever un pan de la tente pour que son époux pût la voir, et celui-ci, étendu sur les toisons épaisses du lit conjugal, suivait dans un demi-sommeil les mouvements gracieux et lents de la jeune femme, dont la blanche silhouette se dessinait toute radieuse dans les molles clartés du matin. Rassuré par cette douce vue, endormi par le monotone grincement de la meule, il se berçait dans sa quiétude de trop heureux époux.

Puis le douar s'éveillait, le jour était venu, et la belle Meryem vaquait aux soins de la tente; c'était sa besogne allouée, celle que les femmes laissent d'ordinaire, d'un commun accord, à la nouvelle venue, afin que l'époux puisse pleinement en jouir. Peut-être pensent-elles aussi que par l'incessant contact il en sera plus vite lassé.

Il restait assis près de là, immobile et silencieux, le regard dans le vide, laissant couler les heures, jouissant de la vie.

IX

Il était rare que Mansour trouvât un instant où il pût être seul avec elle; cependant il en trouvait. Pour lui, le père n'avait aucune méfiance; et un jour même, forcé de s'absenter quand les autres femmes étaient dehors, il l'appela et dit:

—Reste près de Meryem.

Mansour s'assit en silence, ému et troublé; il n'osa parler ni lever les yeux, de crainte que la jeune femme ne reconnût son trouble et ne lût ses convoitises; aussi, au retour du cheik, Meryem s'écria:

—Ton fils est timide comme une fiancée.

Mais Kradidja lui ayant rapporté en plaisantant ces paroles, il s'enhardit, et un soir, comme il ramenait les troupeaux et que Meryem fit quelques pas à sa rencontre pour s'emparer d'une chèvre rétive, il lui jeta une fleur dans le sein.

Elle la retira en riant et l'attacha dans ses cheveux.

Le lendemain, il lui dit:

—Je voudrais une femme comme toi, Meryem, où la trouverai-je?

—Va, répondit-elle, va chez les Beni-Mzab, où ton père est allé, et tu en trouveras.

—Ont-elles tes grands cheveux soyeux et tes yeux qui étincellent? Ont-elles ta jolie bouche et ta voix qui fait sauter le cœur?

—Elles ont tout cela et encore autre chose.

—O Meryem, il sort de tous tes gestes des parfums qui brûlent.

—Tais-toi, petit garçon, ton père va venir.

Elle l'appelait petit garçon, bien qu'il eût deux ans de plus qu'elle; mais elle voulait arrêter ses paroles indiscrètes, et nos sœurs cadettes sont déjà femmes que nous sommes encore des enfants.

Il rougit et se tut, mais le soir il dit au cheik:

—Père, c'est après-demain le grand marché des Beni-Mzab; je serais désireux d'y aller.

—Va, mais que ton absence soit courte.

Il resta absent plus d'une semaine et dit à son retour avoir été retenu par le père de Meryem.

Celle-ci sourit, et lorsqu'ils furent seuls, elle lui demanda:

—A quand la noce, fils d'Ahmet?

—Pour moi, répondit-il, il n'y aura jamais de noce.

—Quoi! n'as-tu pas trouvé là-bas de jolies filles? Es-tu donc si difficile, que celles de ma tribu ne te plaisent pas? J'en connais cependant de plus vives et de plus gracieuses que la gazelle, avec des yeux aussi grands et aussi doux que ceux de la vache blanche qui nous donne tant de lait.

—Peut-être, dit-il; je ne les ai pas regardées. Oui, j'en ai vu qui devant moi se plaisaient à entr'ouvrir leur voile, mais ma pensée n'accompagnait pas mes yeux. Je me suis assis sous la tente de ton père; j'ai parcouru la plaine où tu es née; je me suis couché sous les lauriers de la rivière où tu allais jouer quand tu étais petite; j'ai suivi les ondulations des collines de l'horizon où tes yeux s'arrêtaient le matin à ton réveil: j'ai regardé longtemps tout cela et je suis revenu.

Elle feignit de ne pas comprendre et haussa les épaules:

—Mansour-ben-Ahmed est fou, dit-elle.

Elle comprenait trop bien quelle était cette folie et se tenait sur ses gardes. Cependant les propos d'Ahmet lui plaisaient. De quelque part qu'elle vienne, la flatterie est douce à l'oreille des femmes.

Peut-être aussi se disait-elle que dans les bras de cet adolescent elle se fût trouvée plus doucement bercée que dans ceux de son vieil époux?

«Pourquoi ne nous est-il pas permis de choisir selon notre cœur et sommes-nous obligées de prendre des mains d'un père celui qui veut nous acheter?»

La plainte était juste, et c'est là ce qu'on nous reproche. Chez vous autres, Roumis, n'en est-il pas de même? Nous payons la femme pour sa valeur réelle, mais vous, vous l'appréciez d'après sa dot.

Et c'est pourquoi parmi les enfants des hommes, chez les croyants comme chez les infidèles, il y a tant d'unions mal assorties. Les jeunes aux jeunes, c'est la loi.

Car le vieillard qui achète une jeune épouse commet une abomination.

Le père et la mère qui vendent la virginité de leur fille à un mari chargé d'années commettent une abomination.

Qu'importe que le cadi ou le prêtre ait consacré cette prostitution; les paroles qu'il lit dans le livre sur la tête des époux n'effacent ni la souillure ni la honte du trafic.

Il commet une abomination, celui qui se prête à ce scandale, et plus le vieillard est riche, plus de témoins festoient au repas de noce, plus la prostitution est publique et le scandale abominable.

Et si la jeune épouse, livrée ainsi, de par la loi, à l'assouvissement des appétits d'un vieux, se lasse des caresses immondes et prend en dégoût le mari et le mariage, il y aura pour elle un lac de miséricorde; car elle a racheté d'avance, dans les répugnances des attouchements qui souillent, les turpitudes que forcément elle commettra plus tard.

Ainsi il est écrit, ou à peu près, dans le livre de Monseigneur Ali le Sublime, fils d'Abou-Taleb, 4e calife, l'époux de Fathma, la Porte de la Science et le Lion de Dieu, au chapitre de la *Kouffa*: «O croyants, répétez souvent le nom d'Allah, célébrez-le matin et soir.»

X

Mais depuis qu'il avait osé parler, les désirs et l'audace débordant de son cœur arrivaient constamment sur ses lèvres.

—Meryem, lui dit-il, s'il te fallait choisir entre mon père et moi, qui préférerais-tu?

Elle répondit en rougissant, mais sans colère:

—Tais-toi, fils d'Ahmet, il n'est pas bienséant de parler ainsi.

Il se tut par obéissance ou par crainte, et la jeune femme, qui s'étonnait en elle-même de ne pas s'irriter de telles paroles, se promit d'éviter d'être seule avec son dangereux beau-fils. Mais en même temps, les yeux fixés sur les immenses étendues de la plaine, elle resta toute pensive, n'entendant rien, ne voyant rien, perdue dans une pensée unique qui l'obsédait depuis quelques jours:

—Pourquoi le jeune n'est-il pas venu me demander à mon père à la place du vieux?

Pourquoi? C'est ce que seul aurait pu dire le Maître de l'heure. La marche de bien des vies eût été changée. Le faible dans l'inconnu erre à l'aventure, et chaque minute qui passe peut faire dévier l'aiguille de son destin.

Si le fils d'Ahmet avait devancé son père au pays des Beni-Mzab et pris dans son lit la belle Meryem, les grandes solitudes de Djenarah ne retentiraient pas, après trente années, de cet appel désespéré que tu as entendu dans la nuit:

—Afsia! Afsia! Afsia!

XI

Cependant les petits de l'alouette se montraient en couvées joyeuses dans les blés déjà grands, l'air se chargeait de chauds parfums, et de toutes parts, autour des garçons et des filles, s'émanaient des bouffées langoureuses.

Kradidja appréhendait ce moment; c'est la saison bénie des amours illicites partout où la plaine devient blonde. Quand l'herbe de vie prend force et commence à cacher la terre brune, les amants se regardent, et soupirant se disent: «Bientôt!» Car bientôt les champs mûrs leur ouvriront de faciles cachettes. Partant chacun de son côté, ils pourront se glisser le long des sillons, s'allonger dans les épis, pour se rencontrer au bon endroit, entre les molles ondulations des vagues dorées.

Que de baisers volés, repris, donnés, rendus!

Et le ciel bleu rit au-dessus de leurs têtes: la vie luxuriante et en liesse bourdonne, chante, siffle, gazouille autour d'eux; des frissons courent sur les hautes tiges; les bleuets et les coquelicots s'épanouissent, tandis que les nichées babillardes, un instant effarouchées par la fougue première de la rencontre, se rassurent et chantent gaiement leurs amours:

Va, bon drille
Au larcin!
Doux butin!
Pille, pille!

Loin du larron
L'époux surveille,
Mais il ne veille
Que sa moisson;

Et du pillage
De tout son bien
Il ne voit rien,
Plaisant mirage!

Que du blé mûr
La tige haute,
La blonde côte,
Le ciel d'azur;

Du babillage
Tout haletant,
Rien il n'entend,
Plaisant ramage!

Que les gais chants
Que l'alouette
Dans les blés jette
Aux deux amants.

Va, bon drille,
Au larcin!
Doux butin!
Pille, pille!

Et quand demain viendra le moissonneur, il relèvera du bout de sa faucille les gerbes foulées, maugréant ou riant, suivant l'âge, sans songer que c'est là peut-être qu'est, pour toujours, couché son honneur.

XII

Donc les petits de l'alouette se culbutaient dans les blés et Kradidja devenait plus pensive. Le souci se logeait au fond de sa pensée, car elle craignait non pour la tête de l'époux, mais pour celle du fils.

Il ne quittait plus le douar. On le rencontrait errant près des tentes et tous l'observaient. On chuchotait et bientôt on parlerait tout haut.

Elle prit Mansour à part et, s'étant assurée que nul ne pouvait l'entendre:

—O mon fils, fruit béni et trop aimé de mes entrailles, je t'en supplie, éloigne de toi, de moi, de nous, le désastre. Retourne, comme tu le faisais, à la rivière, et attends dans les genêts le passage des jeunes filles; que toutes te voient, et t'entendent leur parler d'amour. Eh quoi! ne peux-tu fixer ton choix sur aucune? De jolies et de douces, rougissent à ton aspect.... Pourquoi désirer le seul fruit qui te soit défendu, quand tu as sous la main une savoureuse récolte? Écoute ta mère, enfant. Il est deux hommes ici que la nuit enveloppe, car ils semblent ne pas voir ce qui se passe et ignorer ce qui se dit: Ahmed et le fils d'Ahmed. O imprudente jeunesse! ô sourde vieillesse! ô aveugle amour!

Elle dit et pleura; et ses larmes et ses craintes firent réfléchir le jeune homme. Pour donner un démenti aux médisances, il reprit ses folies d'autrefois. Il alla attendre les filles de la tribu et leur tint des propos lascifs. Elles recommencèrent à rire et les vieilles à crier:

—Oh! le maudit! le voici revenu! N'as-tu donc pas fait la récolte espérée? Que prends-tu tant de soucis pour satisfaire ta chair damnée; c'est de la pâture pour les vers!

De son côté, Khradidja, redoublant de surveillance, disait au cheik:

—Ne laisse jamais Meryem seule.

Et comme il s'étonnait de ces paroles, elle ajouta:

—La solitude n'est pas une saine compagne pour les jeunes cervelles. Lorsque la femme est seule, Satan l'attire et fait glisser son pied. Veille, seigneur, Meryem est une enfant.

XIII

Sur ces entrefaites, deux cavaliers des Nemenchas arrivèrent un matin. Ils avaient chevauché toute la nuit, car les nouvelles étaient d'une nature grave.

Le cheik et les hommes du douar allèrent à leur rencontre pour leur souhaiter la bienvenue et les conduire à la tente des hôtes.

Les femmes avaient préparé le *dar-diaf*, étendu les larges tapis à laine épaisse et soulevé sur leurs piquets les coins de la tente pour établir des courants d'air et entretenir la fraîcheur. Des alcarasas à terre poreuse contenant une eau limpide se balançaient aux cordes de poil de chameau, réjouissant la vue des voyageurs altérés.

Ils s'étendirent à l'ombre, et quand ils se furent abreuvés d'eau et du lait qu'on leur présenta dans des *settlas* de fer étamé, qu'ils eurent cassé quelques galettes de dattes et de farine d'orge, en attendant le couscous qui cuisait, les hommes s'assirent en cercle autour d'eux et ils parlèrent.

Mauvaise nouvelle; il s'éleva de douloureuses exclamations. Le caïd Hasseim, beau-frère d'Ahmed-ben-Rahan, envoyait prévenir de l'approche des Roumis.

Déjà ils campaient dans la plaine de la *Meskiana* et en tel nombre que les envoyés affirmaient qu'un grain d'orge n'aurait pu tomber du ciel sans rencontrer une de leurs têtes maudites, et que leurs tentes blanchissaient la plaine comme la neige dans les rigoureux hivers.

C'était la grande malédiction.

—Qu'avons-nous fait aux Roumis, s'écria le cheik; que nous veulent-ils? Nous sommes des hommes de paix et ne demandons qu'à vivre tranquilles avec nos troupeaux. Nous ne devons rien à personne; nous ne voulons rien de personne. Ceux du Souf qui ont dix fois conduit nos moutons vers le Nord, peuvent encore se souvenir de l'année où le nom des Roumis a frappé leurs oreilles; et avant cela nous ignorions qu'au-delà de la mer bleue il existât des Francs; et maintenant les voilà établis en maîtres sur le sol de nos pères. Ils détruisent nos moissons, volent nos troupeaux, brûlent nos palmiers, ruinent nos douars, sous prétexte que des Turcs d'Alger, inconnus de nous, ont, il y a vingt ans, attaqué leurs navires. Que demandent-ils? Leur pays est, dit-on, riche et fertile, leurs plaines produisent en abondance du blé et de l'orge, ils possèdent des jardins magnifiques, des cités opulentes et nombreuses; nous, nous sommes pauvres. Nous n'avons rien que la grande plaine nue. Que viennent-ils donc chercher dans nos sables? De l'argent! Nous n'en avons guère, mais afin de les éloigner nous leur enverrons nos épargnes, car ils sont les plus forts. Qu'ils nous laissent en paix!

—Est-ce là l'opinion des hommes de ta tribu?

—Oui, répondit le cheik; si l'un d'eux pense autrement, qu'il parle.

Mais tous gardèrent le silence.

Alors, irrités, les cavaliers d'Hasseim s'écrièrent:

—O hommes pusillanimes; sont-ce là vos pensées? Sont-ce bien là les paroles des fils de l'Islam; et le caïd, notre seigneur, s'est-il trompé en comptant sur votre concours? Il a dit: «Les *Ouled-Sidi-Abid* sont des hommes.» Que répondra-t-il, quand nous lui rapporterons ce que nous rougissons d'avoir entendu?

Déjà les tribus du nord du Tell sont debout. Seuls resterez-vous couchés avec vos femmes, enveloppés de votre honte et isolés dans votre opprobre? O cheik, es-tu donc de ceux qui disent:

«La peste est arrivée dans le pays;
Allah, fais qu'elle épargne ma tribu!»
«La peste est arrivée dans la tribu;
Allah, fais qu'elle épargne mon douar!»
«La peste est arrivée dans le douar;
Allah, fais qu'elle épargne ma tente!»
«La peste est arrivée dans la tente;
Allah, fais qu'elle épargne ma tête!»

De l'argent aux Roumis! O déshérités de Dieu! A quoi songez-vous? Le seul métal que nous leur devions, c'est le plomb.

—C'est le plomb, c'est le plomb! répétèrent plusieurs voix.

—Et vos femmes? Y avez-vous pensé? Que diront-elles de vous, lorsque les guerriers des tribus du Tell vous auront inscrits au rang des hésitants et des lâches?

— Nous marcherons avec vous, crièrent les jeunes hommes.

Mais les vieux réfléchissaient et secouaient la tête.

Longtemps ils discutèrent, et le cheik, plein de sombres appréhensions, écoutait et donnait son avis d'une voix grave, oubliant la belle Meryem.

XIV

Midi. C'est l'heure où le cheval marche sur son ombre. Pas un nuage ne flotte dans le bleu limpide, pas un souffle ne courbe les épis mûrissants des orges et des blés. L'*alpha* sous les rayons ardents tord ses tiges blanches, et ça et là, la terre trop sèche se fend.

C'est l'heure du grand silence; l'alouette se tait, la perdrix se tient immobile sous les asphodèles, le lièvre roux sommeille dans le sillon. Seules, quelques cigales jettent, dans les herbes brûlées, leur note stridente et grêle; et l'on entend dans les broussailles le bruit sec des graines de genévrier qui éclatent au soleil.

Les femmes sont allées remplir leurs outres à la petite rivière et, assises sur les bords, à l'ombre des lauriers, elles attendent pour le retour le premier souffle dans la plaine. Enfants, vieilles et chiens dorment accablés sous les tentes et, à part les hommes réunis dans le *dar-diaf*, le douar semble désert.

C'est alors que Mansour, ayant laissé ses troupeaux à la garde de ses plus jeunes frères, revenait à grands pas. Il avait vu de loin arriver les cavaliers et il voulait connaître les nouvelles.

Peut-être n'était-ce pas cela qui le rappelait, mais le désir, pendant qu'il savait son père occupé, de se rapprocher de Meryem? L'amour avait grandi dans cette nature indomptable et en était venu à ce point où il n'y a d'autre apaisement que l'assouvissement, et d'autre remède que la fuite.

Mais au lieu de fuir, il venait; il venait hâtivement, imprudent et troublé. Il avait remarqué que la jeune femme l'évitait, et ce nouvel obstacle irritait ses désirs. Sans doute, il ne se rendait pas compte de la monstruosité d'un pareil amour, ni de l'énormité du crime médité. Peut-être encore ne méditait-il rien, si ce n'est de s'approcher de la bien-aimée, d'en abreuver ses yeux, de se repaître de son sourire, de voir sa robe légère serrée sur ses belles hanches et flotter sur ses jambes nues.

Je ne le juge pas, je raconte et je dis:

«L'amour est fort! L'amour est fort!»

XV

Il se glissa dans les orges hautes, se traçant un sillon jusqu'en face de la tente de son père, et là, étendu sur la terre chaude, il attachait sur la belle Meryem ses regards ardents. Il suivait ses mouvements lents et onduleux, et dans la pénombre, sous le haïk de soie blanche, elle lui semblait, dépouillée de sa robe, vêtue de lumière. Bientôt il la vit se coucher sur la fraîche natte d'alpha, il distingua vaguement, sous le frêle tissu de gaze, les harmonieux contours embellis et ensoleillés par la surexcitation de ses désirs.

Le dur et chaud contact de la vieille nourrice lui caressait la poitrine, tandis que les rayons du père de l'universelle vie tombaient comme des flammes sur sa tête exaltée. Des atomes embrasés scintillaient dans l'air et des fourmillements silencieux s'agitaient dans les gerbes. Les pierres qu'il touchait brûlaient ses jambes et il lui semblait entendre autour de lui des tressaillements et des soupirs. La terre en rut se fécondait sous les embrassements du soleil. L'incendie gagnait ses sens, il se dressa tout d'un coup, et, après avoir hésité quelques secondes, son long bâton de pasteur à la main, il marcha vers la tente.

Au bruit, si léger qu'il fût, de son pied nu sur la terre sèche, Meryem releva brusquement la tête et, ramenant en toute hâte ses haïks sur le moustiquaire qui seul la couvrait, lui cria courroucée:

—Que viens-tu faire? Va-t-en! Va-t-en!

—Pourquoi te fâches-tu, Meryem? dit-il, humilié d'être de la sorte reçu. J'ai soif et je venais prendre une *settla* de lait aigre.

—Il n'y a pas de lait; va-t-en!

Il regarda ses épaules, ses bras, son cou, avec de furieuses envies d'y rassasier ses lèvres; mais l'œil brillant de colère l'arrêta et il sortit se dirigeant vers la tente des hôtes.

Les hommes étaient toujours là, discutant sur la redoutable question subitement dressée comme un cauchemar dans leur vie paisible et calme.

On avait relevé les bords de la grande tente jusqu'à hauteur de poitrine, afin que l'air pénétrât de tous côtés et que chacun eût sa part d'ombre. Mais beaucoup restaient au soleil. La sueur coulait de leur front cuivré, descendant par les plis profonds des joues sur leur barbe noire et symétriquement taillée. Mais ils ne sentaient ni la chaleur ni la soif, tout entiers à la funeste menace.

Mansour s'approcha silencieusement du groupe et s'assit sur ses talons.

XVI

Le cheik Ahmed-ben-Rahan était de mauvaise humeur. L'annonce d'une guerre prochaine lui répugnait à double titre, et comme homme paisible et comme nouvel époux. Ce n'est pas qu'il ne fût vaillant et n'eût, ainsi que tous les fils de l'Islam, un sang généreux et chaud. Mais l'âge avait refroidi sa première ardeur; puis, quand on court les hasards des batailles, on n'aime pas être exposé aux autres hasards suspendus sur les fronts des vieux maris. Comme l'amour, la guerre est pour les jeunes. Il est difficile d'être à la fois père de famille et bon soldat. Au moment du danger, l'image des enfants et de l'épouse vient se placer entre les périls et la valeur. Elle paralyse le bras des plus braves. Les hommes qui mettent la famille la patrie sont en petit nombre; le plus grand nombre, et c'est celui-là qui pèse dans les batailles, pense, s'il n'ose l'avouer: La famille, puis la patrie!

Le cheik, en outre, venait d'écouter des paroles désagréables. Comme on énumérait le nombre de cavaliers que pouvait fournir la tribu et qu'il avait prononcé le nom de son fils, un des anciens du douar dit avec mépris:

—Celui-là, ne le comptons pas; sa place est dans les jupes de nos filles.

Le père, indigné, demanda l'explication de cette parole injurieuse, et tous avaient répondu:

—Il dit vrai, cheik! Es-tu donc le dernier à connaître les déportements de l'aîné de tes fils?

Et pendant que pères et époux se plaignaient le cheik aperçut Mansour.

—Que fais-tu ici? s'écria-t-il. Comment n'es-tu pas à la rivière à guetter les femmes? Je viens d'apprendre de honteuses choses. Tous t'accusent et puisque te voilà, tu recevras le châtiment devant tous.

—Un châtiment! répéta le jeune homme.

—Oui, un châtiment, que je vais t'infliger avec mon bâton, en attendant mieux. Prends garde! ne sais-tu pas que ta tête branle sur tes épaules.

—Non, répondit Mansour, voulant cacher sous le rire, l'affront qu'il recevait. Ma tête est solide sur mon cou et il faudra pour l'en détacher un *flissa* tenu par une main vigoureuse.

Mais nul dans le groupe ne répondit à son rire, et les envoyés du caïd Hasseim fixaient sur lui un regard sévère et froid.

Une voix grave se leva:

—Il y a de vigoureuses mains chez les *Sidi-Abid*.

—Oui, ajouta un autre, quelque jour un d'entre nous ira trouver Ahmed-ben-Rahan et lui dira: «Cheik Ahmed, je t'aime et te respecte, mais ton fils Mansour a insulté ma sœur ou ma fille; je l'ai tué. Vois-tu, là-bas, les chiens du douar qui lèchent le sang de sa nuque.» Et Ahmed-ben-Rahan sera contraint de se courber et de répondre: «Tu as fait un acte juste. C'était écrit.»

—Certes, je le dirai; j'en jure par le tombeau du Prophète. Mais assez parlé de ces choses mal sonnantes à l'oreille d'un père. Et toi, écoute ceci. Les Roumis approchent. Ils avancent, détruisant tout comme un nuage de sauterelles. Ils ont brûlé les villages, les moissons dans le Tell; ils ont détruit les oliviers, les grenadiers et les vignes et les voilà qui coupent les palmiers; les palmiers, ces dons de Dieu qui demandent vingt étés pour donner leurs fruits. C'est la grande malédiction. Les hommes que voici affirment que la plaine de la Meskiana est couverte de leurs tentes comme le firmament d'étoiles, et que dans tous les points où fouille le regard on n'aperçoit que des capotes bleues. On fait appel aux tribus du Beled-el-Djerid, pour qu'elles s'unissent à celles du Tell afin de chasser les maudits. Mais, tandis que les jeunes gens monteront à cheval, tu resteras au seuil de la tente avec les petites filles et tu les regarderas partir. Oui, tous te jugent indigne d'entendre parler la poudre, toi qui ne te plais qu'à écouter les propos des femmes. Car il y a en ceci des signes certains pour ceux qui réfléchissent, et les hommes des Sidi-Abid commencent à dire en te voyant: «Celui-là ne sera jamais le cavalier des jours noirs.»

—Ils ont menti, répondit le jeune homme frémissant de colère; oui, ils ont menti et je le leur prouverai.

Tous, devant cette bravade, restèrent impassibles et un sourire erra sur les lèvres de plusieurs.

—Tu parles comme une nouvelle épousée qui se vante et dit à ses compagnes: «je suis la plus belle;» mais ce n'est pas en s'habillant de paroles qu'on se pare. Il faut des actes pour prouver ce qu'on sait faire et tes actes ont été jusqu'ici ceux d'un esclave de la chair. Comme les filles de Fathma livrées au péché, tu seras traité ainsi qu'elles. Pourquoi te raser la tête? Laisse croître tes cheveux. Je te donnerai des anneaux pour tes bras et tes jambes, des boucles pour tes oreilles. En attendant, prends une cruche et cours à la fontaine rejoindre tes sœurs.

—Cheik, cria Mansour, plein de honte et de colère, je saurai te prouver quelque jour que tu as tort de me compter parmi les femmes, et à vous tous aussi. Je ne coucherai pas une nuit de plus dans ce douar où les hommes me repoussent de leur goum. Sur votre tête à tous, si vous avez dit cette parole, vous vous en repentirez et vous voudrez ne pas l'avoir dite, le jour où vous viendrez baiser mon étrier et m'appeler seigneur.

Tous ricanaient, et il continua:

—Cheik, donne-moi un cheval et un fusil, j'irai chez le caïd Hasseim. Il me prendra dans son goum et, puisque vous m'avez renié, je serai désormais des siens. Par le tombeau du Prophète, vous pouvez dès aujourd'hui effacer mon nom des Ouled-Sidi-Abid.... Cavaliers des Nememchas, je vous suivrai où vous irez, et pendant qu'ils délibéreront encore sur ce qui leur reste à faire, les jeunes et les vieux d'ici entendront parler de Mansour-ben-Ahmed.

Tous continuaient à rire et l'un des anciens murmura:

—Il a une peau de lion sur un dos de vache.

—Tu as la langue dorée, comme celle d'un Thaleb, dit un autre, et nous consentons dès aujourd'hui à t'appeler Sidi. Sidi-Thaleb-Mansour-ben-Ahmed, je te salue!

—Oui, ajouta le cheik; mais les tolbas ne sont que les chiens des batailles; le bruit qu'ils font les empêche de se mettre en besogne. Ils aboient et ne mordent pas.

—Je mordrai, dit le jeune homme.

—Mon fils, je lis la fureur dans tes yeux comme je l'entends sortir de ta bouche. Cela me fait plaisir; car quiconque est sensible à l'outrage doit apprendre à le punir. Je prends acte de tes paroles et te donne mon consentement; ta mère depuis longtemps m'en prie. Tu peux devancer nos jeunes hommes. Tu confirmeras de ta bouche ce que nous venons de dire aux envoyés d'Hasseim: «Aussitôt qu'il le demandera, il aura notre *goum*.» Va, et selle le poulain noir. C'est le premier-né de ma jument *Naama* et puisse-t-on dire un jour qu'il t'a désaltéré de joies. Qu'après la bataille la femme que tu auras choisie le prenne par la tête, et détache son haik pour essuyer la sueur de sa face. Va, que le salut t'accompagne.

Et comme il s'éloignait, le cheik lui cria:

—Que Meryem ouvre le fondouk, qu'elle te donne deux douros et vingt-cinq cartouches. Au reste, Dieu pourvoiera.

XVII

Mansour s'éloigna, et derrière lui éclatèrent quelques rires.

Les hommes du douar disaient: «A sa vue les Roumis fuiront!»

Il se retourna et vit son père le sourire aux lèvres. Ce fut comme un coup de verge cinglé sur le cœur, et, de nouveau, y fit jaillir la colère, car il n'entendit pas ce que le père ajoutait: «Patience, il est de bonne race et lorsque le poil de son menton aura cru, il saura tenir sa place au rang des guerriers.»

Sur le seuil de la tente, il jeta son bâton de pasteur qui roula aux pieds de Meryem.

—Quoi! te voilà encore? s'écria-t-elle. Mais, effrayée du feu sombre de son regard, elle se recula jusqu'au milieu de la maison de poils, s'adossant à l'un des piquets.

Elle venait d'achever sa toilette et elle était toute fraîchement peinte. Ses grands yeux noirs, encore agrandis par le koheul, buvaient l'âme, et ses sourcils, arcs gracieux, descendaient jusqu'aux tempes et se joignaient par une ligne délicate. Elle avait mâché la plante qui colore les lèvres d'un rouge grenat et collé sur ses joues de petites paillettes d'or; Mansour les regardait et brûlait de les prendre à sa bouche. Le large turban des filles du Souf enveloppait sa jolie tête encadrée par les anneaux lourds de ses tresses noires, d'où se détachaient pleins d'éclat ses larges anneaux d'argent. Par la fente de la gandourah de soie rayée, on entrevoyait les dures mamelles que les baisers de l'époux et les fatigues de la vie n'avaient pas eu le temps de flétrir; elles soulevaient harmonieusement le léger corsage que serrait à la taille une ceinture brochée d'or. Bras et jambes nus, elle avait teint avec le *henné* ses mains jusqu'aux poignets et ses pieds jusqu'à la cheville, de sorte que le bout de ses doigts ressemblait aux fruits du jujubier.

Il est écrit: «Quand une femme s'est orné les yeux de koheul, paré les doigts de henné, et qu'elle a mâché la branche du souak qui parfume l'haleine, fait les dents blanches et les lèvres de pourpre, elle est plus agréable aux yeux de Dieu, car elle est plus aimée de son mari.»

Et comme elle levait le bras droit pour saisir le piquet de la tente, en y appuyant nonchalamment la tête, l'œil ravi de Mansour s'arrêta sur l'aisselle soigneusement épilée et les harmonieuses attaches du cou et des seins.

Non, jamais il ne l'avait vue si charmante, jamais, depuis le jour de ses noces, elle ne l'avait autant ébloui.

Et tout frémissant devant ce poème de beauté, il demeura sans parole.

XVIII

Elle rougit sous ce regard plus éloquent que les phrases mélodieuses et se sentit délicieusement flattée d'être trouvée si belle.

—Toi encore! Toi encore! je t'avais pourtant chassé.

Meryem voulait donner à sa voix une intonation de colère; mais elle ne le pouvait pas. Les mots commencés avec éclat mouraient en syllabes douces, et plutôt étonnée que mécontente, elle vit Mansour tirer de sa ceinture une petite bague d'argent et s'emparer de sa main.

Son regard était si suppliant qu'elle n'osa refuser cette offrande. Elle se laissa faire, toute rougissante, et riait pour cacher son trouble.

—Sont-ce nos fiançailles? demanda-t-elle.

Lui, n'avait d'autre dessein que de la prier de garder ce souvenir en lui disant adieu. Peut-être rêvait-il aussi de prendre un baiser sur sa bouche, le rire de sa belle-mère l'enhardit et il répondit aussitôt:

—Oui, ce sont nos fiançailles. N'es-tu pas parée pour la noce?

—Ah! la noce, elle est depuis longtemps passée; tu le sais bien: ton père ne m'a pas répudiée encore et je ne suis plus à marier.

Il y eut un soupir à la fin de ces paroles et le jeune homme avança les lèvres pour le recueillir. Mais il n'osa; il se saisit seulement de la petite main qu'il avait abandonnée après y avoir glissé la bague et la pressa dans les siennes.

Puis il s'assit aux pieds de l'idole et dans cette douce main, pleura.

Émue, elle se pencha sur son épaule:

—Pourquoi pleures-tu?

Il ne répondit pas, et elle sentait glisser dans ses doigts les larmes.

—Pourquoi pleurer comme un enfant que sa mère gronde? Tu n'es plus un enfant, je ne suis pas ta mère et je ne te gronde pas. Relève-toi, Mansour! Que penserait le cheik, s'il te voyait ainsi? Que penserait la soupçonneuse Kradidja? Mansour! Mansour! Que diraient les hommes du douar?

—Et que m'importe? laisse-moi à tes pieds, je suis bien.

—Mansour, je t'en supplie, relève-toi.

—Tu demandes ce qu'on dirait, reprit-il, Eh! que ne dirait-on pas qu'on ait déjà dit: Le fils d'Ahmed se meurt d'amour pour la Rose des *Ouled-Sidi-Abid!*

Elle retira brusquement sa main et le regarda tout interdite.

—Quoi! on s'est aperçu que tu m'aimais?

—Ah! s'écria-t-il en lui saisissant les jambes et lui baisant les pieds, je t'aime, je t'aime; tu le savais!

—Je ne sais rien, je ne veux rien savoir. Relève-toi, Mansour! es-tu fou?

—Oui, je suis fou, je le vois bien, car j'ai fait tout ce que j'ai pu pour arracher ta pensée de mon cœur. Je me suis roulé dans les épines des genêts; j'ai passé de longues heures pleurant caché dans les lauriers-roses, mais en dépit de moi-même, mes lèvres murmuraient: «Meryem! Meryem!» J'ai essayé d'aimer les filles du douar, je n'ai pas pu, je n'ai pas pu. C'était toi que j'aimais quand je leur murmurais des mots d'amour; et quand je soupirais près d'elles, c'était vers toi que volaient mes soupirs. Meryem! Meryem! oui, je suis fou.

—Tais-toi, enfant, tais-toi.

—Depuis le jour où tu es venue, hôtesse cent fois bénie et cent fois maudite, t'asseoir sous la tente de mon père, et où je t'ai vue soulever ton voile de ta main gracieuse et montrer l'éblouissement de ta face; depuis le jour où les cavaliers de la tribu ont fait éclater autour de toi la joyeuse fantasia, et que toute pensive tu regardais devant toi, n'entendant ni la voix de la poudre, ni les hennissements des chevaux impatients, ni les cris de joie des femmes, ne voyant rien, alors que tous ne voyaient que toi; depuis l'abominable nuitée d'amour où je t'ai entendue pousser tes premières plaintes, que les baisers de mon père ne pouvaient étouffer, oui, je suis devenu fou!

—Tu me fais mourir de honte.

—Ne m'interromps pas, Meryem. Je les ai comptées, toutes tes plaintes. Et tandis que j'entendais les autres femmes chuchoter et rire tout bas, je me déchirais la poitrine de mes ongles.

Vois, Meryem, tu peux savoir combien de fois, car c'est à peine si depuis, les dattes des oasis ont eu le temps de mûrir.

Il se leva et, ouvrant sa *gandourah*, montra sur sa poitrine de grandes rayures rouges.

—Va-t-en, aie pitié de moi. Je ne peux plus, je ne dois plus t'entendre; va-t-en!

Elle voulut s'échapper, mais il se plaça devant elle, les bras ouverts, essayant de la saisir.

—Oh! disait-il, je veux les fleurs de ton sein, je veux y boire, je veux y mourir.

XIX

L'indomptable passion s'était ruée sur lui avec ses fureurs et le rendait sourd à tout cri de la conscience. Les femmes ont dit pour son excuse qu'il était jeune et n'avait pas réfléchi; elles ont rejeté la faute sur Meryem, l'accusant de coquetterie et de faiblesse. Mais les femmes sont les pires ennemies des femmes; si les laides s'érigeaient en tribunal, elles condamneraient toutes les belles à mort. Les hommes, plus froids et plus sages, ont jeté la malédiction sur Mansour. Ainsi, la justice humaine a deux manières d'envisager les actes; l'Immuable seul lit au fond des cœurs.

Vous autres, gens du Nord, vous ne comprenez pas ces amours redoutables.

Chez vous, la passion est chétive; elle fait des esclaves humbles à tête basse, au regard soumis; on vous voit, papillons ridicules, voltiger autour des femmes, roucouler comme des tourtereaux ou des courtisanes pâmées; on se demande quel est le plus féminin d'elles ou de vous, et il n'est pas étonnant que de mâles fils du Prophète, à la vue de vos petits jeunes gens presqu'imberbes, au visage peint, à la chevelure parfumée et onduleuse se soient trompés de sexe et se soient pris d'amour.

Sous les froids rayons de votre soleil pâle, avec votre vie sans dangers et sans fatigues, votre cœur s'est affadi.

Aussi vos femmes peuvent impunément essayer la puissante artillerie de leurs gestes, de leurs toilettes, de leurs paroles et de leurs regards; elles découvrent à tous, non-seulement leurs visages, qu'elles embellissent pour mieux vous séduire, mais dans vos fêtes, elles étalent leurs grasses épaules, l'appétissante raie de leur dos velouté où la pensée se laisse couler jusqu'en bas comme un filet d'eau qui suit une rigole, leur sein où l'œil aime à fouiller et qu'elles rehaussent par de secrets apprêts; et ce qu'elles n'osent laisser voir, elles le font deviner avec art et complaisance pour mieux exciter les désirs.

Mais, qu'est-ce que vos désirs?

Si, séduits par tout ce que vous avez vu, effleuré ou senti, tout ce qu'on vous a montré ou laissé entrevoir, vous murmurez humble—ment: «Je t'aime», elles vous répondent offensées et le dédain aux lèvres: «J'ai un époux». Et alors, comme un enfant que sa mère menace du fouet, vous vous en allez honteux.

Et que m'importe? Si tu as un époux, pourquoi t'étale-t-il comme une étoffe a vendre? Qu'il garde ta nudité et tes chairs pour lui seul et n'aille pas, repu épanoui, promener devant la faim des maigres, ses plantureuses victuailles.

Cacher son bien, c'est le moyen le plus sûr que nul ne le volera.

Mais on sait que parmi vous, ces étalages sont sans grandes conséquences. Vous soupirez et tout est dit. Chez les enfants de l'Arabie, où le simoun souffle dans le sang ses bouillantes ardeurs, il n'en est pas de même. Je ne parle ni des *Chaouias* ni des *Bedouis* dont on voit dans les champs du Tell les femmes demi-nues exposer à l'étranger leur corps de jument efflanquée et leur mamelles de chèvre. Ce ne sont que des femelles que la misère a prises au ventre de leur mère pour les livrer au travail trop rude et qu'une hâtive débauche a rapidement souillées et abruties. Mais nul ne peut, sans danger, se trouver en face des belles filles du Souf. Blanches ou dorées, leurs grands yeux noirs boivent l'âme et celui de nos jeunes hommes que son destin appelle à entrevoir les éblouissantes clartés, se dit en jurant sur la tête du Prophète: Baiser sa bouche et mourir!

C'est ce que jura Mansour lorsque, l'œil brillant de délire, il cherchait à enlacer Meryem.

XX

Elle le repoussait, affolée.

—A quoi songes-tu? disait-elle; Mansour, écoute-moi. Non, tu n'as pas ton bon sens. Les vieilles de la tribu t'ont-elles jeté un sort? Oh! je vais crier! Ne me fais pas violence! Ne m'oblige pas à appeler! Songe qu'au moindre bruit ton père accourra, que tous viendront et qu'il y aura un grand scandale. Oublies-tu à qui j'appartiens? Mansour! Mansour!

Il vit que la force serait inutile et qu'il était préférable de ruser.

—Écoute, Meryem. Ce que je vais te dire, je crois devoir le faire. Les hommes que tu vois là-bas sont des cavaliers du caïd Hasseim; ils viennent appeler la tribu à la guerre sainte. Tous sont prêts. Mais l'un d'eux a dit en raillant: «Le cheik Ahmed ne l'est pas, car il a épousé une jeune femme et il préfère l'odeur de sa jupe à celle de la poudre.» Mon père s'est récrié avec indignation; alors le cheik des Ouled-Rabah a pris la parole:

«—D'après ce qu'on m'en a raconté, Ahmed, cette fleur du Souf s'épanouirait mieux aux lèvres de ton fils que plantée dans ta barbe grise. Chacun est libre; mais c'est un grand mal quand une jeune femme s'attache au bras d'un vieux guerrier. Elle l'empêche de porter des coups sûrs, car sa pensée le suit jusque dans la bataille.

«—Tu dis vrai, a répondu mon père, le diable m'a tenté le jour où j'ai eu envie de la trouver dans ma couche. Ce n'est qu'une petite fille qui n'a d'autre préoccupation que de peindre ses sourcils et les doigts de ses pieds. J'eus mieux fait de dire à mon fils: «Prends-la!»

—Il a dit cela? s'écria la jeune femme.

—Sur ma tête! Et le cheik des Ouled-Rabah a ajouté: «Tu as raison; les jeunes aux jeunes!»

—Si ce sont là ses paroles, je demanderai le divorce; mais tu mens, je sais que tu mens.

—Tu vas savoir que je dis vrai, car moi qui me tenais à l'écart, je me suis alors avancé.

—Je t'ai vu.

—Et j'ai dit: «Mon père, il n'est pas trop tard, et si tu es las... me voici.» Tous se sont mis à rire.

—Imprudent! s'écria Meryem. Ah! j'ai entendu les rires.

—Et mon père a répondu: «La loi le défend.»

—Et c'est la seule raison donnée? demanda la naïve épouse.

—La seule. N'est-ce pas assez? Oh! Meryem, Meryem, as-tu donc supporté sans répugnance les caresses de cet homme plus que mûr? Ne sens-tu pas que les draps de ton lit d'amour ne sont qu'un froid linceul? Moi, je suis jeune comme toi. Écoute la fantasia de mon cœur et goûte comme mes lèvres brûlent.

—Que je sois maudite avant de commettre ce crime. Pervers! maudit sois-tu, qui veux souiller la couche de celui qui t'a engendré!

—Rose du paradis, il n'y a pas souillure, puisque de lui-même il se repent de t'avoir pour épouse.

—Tu mens, enfant du mal. Ce que tu racontes est impossible. Tu es semblable aux chrétiens qui déplacent les phrases, les dénaturent et les embrouillent à dessein avec leurs langues perfides.

—Que le Prophète me confonde, si ce n'est la vérité. Honteux de la raillerie du cheik des Ouled-Rabah, voilà mot pour mot les paroles du père devant tous:

«Nous divorcerons quelque jour, et je te la donnerai pour servante, comme notre seigneur Soliman reçut de la couche de son père sa servante Abisag.»

—Il n'a pu dire cela. Tu mens!

—Oserais-je ainsi mentir, quand tu peux à l'instant me confondre?

—Tu mens.

—O Meryem, plus belle que la gazelle, mais plus entêtée que la chèvre, assure-toi donc de la vérité.

Et sans lui laisser le temps de réfléchir, il la saisit par le bras et, l'entraînant hors de la tente, appela le bonhomme qui pérorait au milieu du groupe:

—O cheik! ô cheik! Ahmed-ben-Rahan.

—Quoi? demanda le vieillard impatienté.

—Meryem refuse de me croire. Elle dit que je mens.

Le vieillard, furieux de ce que sa jeune épouse se montrât sans voile à des étrangers, cria tout en colère:

—L'enfant dit vrai. Sur ta tête, écoute-le. Et qu'on ne m'importune plus.

Humiliée de ces brusques paroles devant tous, humiliée surtout de l'affront bien plus grand qu'elle croyait avoir reçu, elle se rejeta sous la tente, indignée et stupéfaite.

—Tu le vois, dit Mansour, tôt ou tard tu m'appartiendras. Laisse-moi donc toucher à mon bien.

Et il avait déjà baisé son cou et ses bras et ses lèvres, lorsqu'elle revint à elle.

—Je me plaindrai au cadi, dit-elle. Mansour, ton père est un maudit. Laisse-moi.

—Oui, douce fleur du matin, que la malédiction retombe sur sa tête.

Il avait glissé à ses pieds et, la fit choir près de lui.

—Laisse-moi, répétait-elle, je me plaindrai au cadi.

Mais sa résistance plus molle faiblissait à mesure que croissait l'audace de l'amant; elle cessa bientôt tout à fait, et Mansour n'entendit plus qu'un murmure s'échapper de la bouche de la jeune femme éperdue:

—Je me plaindrai au cadi....

XXI

L'abomination accomplie, le mal sans remède, à quoi les plaintes eussent-elles servi?

Lorsque Meryem connut le subterfuge qui avait aidé à sa défaite, elle ne cria, ni ne s'arracha les cheveux. Elle ne dit pas:

—«Tu m'as perdue!»

Elle ne dit pas:

—«Tu es un infâme!»

Elle se sentait aussi coupable, et, posant un doigt sur sa bouche, regarda l'incestueux en face:

—Maintenant, c'est fini. Il faut partir. Ta présence est une souillure. Nous ne devons plus nous revoir. Jure-moi, jure-moi que tu ne reviendras plus.

—Je ne reviendrai plus, répéta Mansour.

—Quelle foi puis-je ajouter à tes paroles, toi qui t'es servi si habilement du mensonge?

Mais Mansour répéta simplement:

—Je jure que je ne reviendrai plus.

Alors elle l'aida à seller le poulain noir.

Dans l'intérêt du jeune homme autant que dans le sien, elle voulait l'éloigner. Elle savait que le premier pas serait, s'il restait, suivi de bien d'autres, jusqu'à ce que le châtiment frappât les têtes criminelles.

Car il vient toujours, et plus sa marche est lente, plus il est redoutable.

Et quand elle le vit monter sur le poulain noir, elle pleura. Mais Kradidja qui surprit plus d'une fois après ces larmes, n'aurait pu dire si elle pleurait sa faute, ou le départ précipité de celui qui emportait son cœur.

Les cavaliers du caïd Hasseim l'attendaient. Ils partirent.

—Va-t-en avec la bénédiction de Dieu et la mienne! lui dit le cheik.

—Reviens avec le bien, lui crièrent les autres.

Mais il ne put répondre. Déjà le remords lui montait à la gorge et lui coupait la voix.

—Il faut lui pardonner, dit le père, il est encore sous le poids de l'affront reçu. Mais nous entendrons parler de lui. Je connais le sang de ses veines.

Les autres souriaient.

Meryem, sur le seuil de la tente, le suivit longtemps des yeux, la main pressée sur son sein, rouge encore des furieuses caresses, et ne sentant plus rien y battre, elle se dit avec angoisse:

—Mon cœur s'en va rivé au sien. Et je lui ai fait jurer de ne plus revenir!

Lorsqu'il fut au loin, prêt à disparaître derrière la première ondulation de la plaine, il arrêta son cheval et, se retournant, resta un moment immobile, éclairé par les feux du couchant.

Alors les hommes du douar, qui tous s'étaient levés, lui crièrent en riant:

—*Sidi-Thaleb! Sidi-Thaleb!* Salut.

Mais lui ne les vit pas et ne les entendit pas; il ne vit même pas son père qui secouait convulsivement son burnous, ni sa mère qui pleurait en lui criant: «Que ton ventre n'ait jamais faim!», ni les filles du douar qui l'accompagnaient de leurs vœux; il ne vit qu'un coin de haik de soie agité par une petite main à la porte de la tente paternelle, et deux larmes coulèrent sur ses joues.

Et quand il eut disparu, la belle Meryem reporta ses regards sur l'époux qui, debout, les yeux fixés sur l'horizon, semblait chercher l'image évanouie du fils.

—Oh! murmura-t-elle, que celui-là ignore à jamais le crime! Qu'il n'ait pas ce deuil étendu sur ses heures. Oui, il vaut mieux que l'autre ne revienne plus!

XXII

Il rejoignit les goums, et dans les heures rouges où le sabre boit le sang, où l'œil rencontre l'œil, il se conduisit de telle sorte que les vieux guerriers lui dirent après la bataille:

«C'est bien.»

Il augmenta le renom de sa tribu. On disait: «Celui-là est des *Ouled-Sidi-Abid!*» et le vieux cheik Ahmed tressaillit d'orgueil, car un jour il entendit ces paroles: «Voici le père de Mansour le Brave.»

Mais il ne le revit plus; et Meryem non plus ne devait le revoir. Elle cherchait à oublier, mais longtemps elle attendit. Bien souvent elle interrogea la plaine du côté où le soleil se lève et du côté où il se couche, au Midi et au Nord, se demandant: «D'où donc et quand viendra-t-il?» Et lorsqu'à l'extrémité de l'horizon elle voyait poindre un groupe de cavaliers ou se lever un petit nuage de poussière, tout son être tressaillait et elle disait: «C'est lui!»

—C'est lui! répétait le cheik, qui fouillait aussi la plaine, et une larme de joie perlait au bord de sa paupière ridée.

—C'est lui! répétait la vieille Kradidja, toute frémissante; Dieu m'a entendue, je ne mourrai pas sans revoir le premier et le plus beau fruit de mes entrailles.

Et les serviteurs et les servantes, et les hommes du douar regardaient aussi et disaient: «C'est lui!»

Mais jamais ce ne fut lui. Les semaines, les mois, les années passèrent sans ramener ni le fils aîné du cheik ni le fils aîné de Naama. Une fois cependant, tous crurent l'apercevoir, et une grande joie et un grand trouble emplirent leur cœur. On vit venir un cavalier monté sur un cheval que le douar entier reconnut pour le fils de la Buveuse d'Air.

—C'est lui! c'est lui! Kradidja! Meryem! Qu'on tue le plus gros mouton. C'est lui! Femmes, déroulez le vieux tapis de Tunis. O mes enfants, je vais pouvoir mourir. C'est Mansour! mon fils! ô mon fils!

Et tous couraient agités, disant:

—Holà! jeunes hommes! Debout! Fête au douar! Que la poudre salue le Brave! Voilà Mansour-ben-Ahmed!

Ils ne l'appelaient plus par dérision le *Thaleb*, mais ils criaient tous à la fois:

—Le Brave! le Brave! *Marhababek! Marhababek!* Sois le bienvenu! Sois le bienvenu!

Meryem pâlissait et tremblait comme si la fièvre d'*El-Meridj* avait passé dans ses veines, et la vieille Kradidja la gourmanda en la secouant avec rudesse:

—Eh bien, femme! eh bien, du courage! ou ta honte va se trahir!

Mais le cavalier s'était arrêté à une portée de fusil et restait immobile.

Il voyait les préparatifs faits en son honneur et il ne bougeait plus.

Alors le vieillard s'avança à sa rencontre, suivi d'un groupe d'hommes, et comme il s'étonnait de le voir arrêté à la même place, retenant son cheval qui piétinait d'impatience, saluant de ses hennissements joyeux les tentes des *Ouled-Ascars*, il agita son burnous et cria d'une voix forte:

—Mais viens donc! Mais viens donc!

Et il lut tendait les bras, puis montrait son cœur.

Les hommes du douar agitaient aussi leurs burnous et criaient:

—Mansour! Mansour! *Marhababek! Marhababek!*

Soudain ils virent le cavalier lever sa main droite.

Il la tint longtemps étendue dans la direction du douar; ensuite, la portant à sa bouche, il semblait envoyer toute son âme dans un baiser.

C'était le premier salut et le dernier adieu de Mansour, à la face vénérable et à la barbe blanchie de son père, à sa mère qui l'appelait, à une lumineuse et légère silhouette debout à ses côtés, à la grande tente brune rayée de jaune qui le vit naître et pendant tant d'années abrita son sommeil, aux jeunes filles à qui il avait parlé d'amour, maintenant épouses et mères, aux hommes, aux femmes, aux troupeaux, à tous, et il cria:

—Salut à tous, gens de bénédiction, je ne veux pas apporter le malheur sur vos têtes, car je suis le maudit! le maudit!

Et saisis d'étonnement, ils le virent faire brusquement volte-face, éperonner son cheval avec rage, et disparaître, sans regarder en arrière, dans un nuage de poussière dorée.

Il avait failli violer son serment, mais le remords le saisit. Il n'osa pas dormir sous la tente qu'il avait souillée et qui était celle de son père, ni revoir la femme qu'il avait souillée et qui était celle de son père, ni affronter le regard de celui qu'il avait trahi. Et ce fut son châtiment. Dieu décide comme il lui plaît.

XXIII

Le temps s'écoula; on espérait toujours. Par moment le bruit des batailles apportait son nom jusqu'au douar. C'était tout. Mais on attendait encore, lorsqu'un matin le douar fut emporté comme par un tourbillon du simoun.

Au jour levant, à l'heure où l'on trouve l'homme sans fusil, la jument sans bride et la femme sans ceinture, les Roumis passèrent; et le soleil n'était pas encore haut dans le ciel qu'il ne restait plus rien dans la plaine.

Du douar aux soixante-dix tentes, des troupeaux que jadis gardait Mansour, de la belle Meryem, de l'altière Kradidja, du vieux cheik et de la fraction des *Ouled-Sidi-Abid,* il n'y eut plus que le souvenir.

Au crépuscule, les rôdeurs de nuit se jetèrent sur les cadavres. Ils virent des femmes éventrées qu'avaient violées les cavaliers du*Magzen.* C'est la guerre. Elles avaient été dépouillées de leurs anneaux d'argent, de leurs bracelets et de leurs bagues. A chaque peine son salaire; le soldat, qui vend sa vie, doit jouir après le combat.

Cependant on trouva sur le cœur de l'une d'elles une amulette qui cachait un petit anneau d'argent.

Il n'y avait plus à *razer* que des burnous sanglants, des tentes trouées, des lambeaux de haik; ils les volèrent, laissant le reste aux chacals.

Il faut bien que le pauvre vive.

XXIV

Mansour se jeta au plus épais des batailles. Il voulait venger les siens et voulait oublier.

La mort, qui saisit à la nuque ceux qui ont peur, s'efface devant ceux qui la bravent. Il la chercha le fusil à l'épaule et le sabre au poignet. Les Roumis n'ont pu compter les poitrines crevées par sa lame, et sa balle, dit-on, ne toucha jamais le sol.

Mais qu'était pour lui la gloire? Il n'aspirait qu'à l'oubli.

Quand nous fûmes vaincus par la force, le nombre, la discipline de l'ennemi, et, il faut l'avouer, aussi par la trahison, il courba comme les autres la tête devant le grand désastre.

Pourquoi lutter contre le destin?

C'est le torrent furieux qui se précipite tout à coup de la montagne. Les sages s'écartent; seuls, les insensés se jettent devant lui, et bientôt leurs cadavres vont grossir le tas des débris de la plaine.

Il s'écarta et laissa se ruer la tempête.

Mais dans les épreuves se trempe l'âme des forts, et celui qui reste assis au seuil de sa tente écoutant couler les heures, satisfait de ce que Dieu lui donne, celui-là n'aura jamais pour compagnes la Fortune et la Renommée.

Elles sont femmes et ne se livrent qu'aux audacieux, et Mansour, âme inquiète, les trouva l'une et l'autre, en courant après l'oubli par les grands chemins de la vie.

Il les rencontra au pays de la Soif, à travers les vastes solitudes, et sut saisir les robes diaphanes de ces divines houris.

Il les força comme des filles dans la route hérissée de périls, suivie par les caravanes qui vont chercher au-delà du Sahara les peaux de buffle et la poudre d'or, les dents d'éléphant et les belles négresses.

Et de même qu'il avait acquis un renom parmi les braves, il s'en fit un autre parmi les riches et les marchands hardis.

Tout lui réussissait, et on le surnomma *Sidi-Messaoud*, Monseigneur l'Heureux; car chez les croyants comme chez les infidèles, la foule s'incline devant le succès.

L'Heureux! Il aurait pu l'être, s'il avait pu oublier.

Il aurait pu être heureux, car, plus sage que beaucoup de riches dont le premier souci est d'entasser *douros* sur *douros* pour ne plus y toucher, il employait le fruit noblement gagné de ses fatigues et de ses audaces à s'acheter des plaisirs, ces miettes de bonheur que nous jette le Maître pour nous attacher à la vie.

Pour quelques instants alors, le souvenir implacable ne le tourmentait plus: la vipère attachée à ses flancs ne lui faisait plus sentir ses morsures; il oubliait qu'il était maudit.

XXV

A son retour des solitudes où l'on voyage de longs mois sans en découvrir les limites, lorsqu'aux approches du Souf il rencontrait les caravanes des Sahariens qui, vers l'été, s'arrêtent au Nord pour y faire paître les troupeaux et y échanger contre les grains du Tell les plumes d'autruche et les dattes des oasis, il demandait à mêler sa caravane à la leur.

Fatigués de la longue monotonie de la marche, ils acceptaient avec joie, car on savait qu'il organisait des chasses et des fêtes.

Alors la poudre, dont il n'était pas avare, éclatait tout à coup dans les grands silences; du haut des palanquins, les femmes, frappant du bout de leurs doigts leur bouche rieuse, jetaient dans l'air sonore les bruyantes saccades de leur joie, gamme mélodieuse qui émeut le cœur des hommes et grise autant que le vin proscrit; les chameaux, dressant la tête, allongeaient leurs grands cous fauves; les troupeaux effarés galopaient en avant, tandis que sur les flancs de la colonne, les nobles étalons du *Haymour*, au vigoureux poitrail, et les juments à large croupe, frémissantes d'impatience, piétinaient le sol.

Fantasia! Fantasia! Les coups de feu se précipitent; les cavaliers s'ébranlent; les longs *chelils* de soie aux franges d'or flottent sur les croupes; les fusils lancés retombent dans les mains habiles; jeunes et vieux, courbés sur les encolures, partent au galop et suivis des éclats stridents des femmes, disparaissent dans les tourbillons de sable jaune.

Et dans les grandes lignes dorées de la plaine, on voit fuir les couples d'autruches et bondir les troupeaux de gazelles.

«Beau pays aimé de Dieu, loin des Roumis et des sultans! Où es-tu? où es-tu?»

XXVI

Mais la principale affaire était la chasse à l'amour. Là encore, on le voyait au premier rang des braves, et comme il avait l'audace, il avait le succès.

Les noires esclaves du Soudan venaient de le saouler de leurs furieuses caresses, et il sentait le besoin de se rafraîchir sur le sein parfumé des blanches filles du *Souf*, l'oreiller le plus doux que l'homme ait reçu de Dieu.

O merveilles des merveilles, filles du Souf et du *Beled-el-Djerid*, dont les yeux boivent les cœurs et ont l'éclat des yatagans, votre vue ranime comme le brasier des grand'gardes, quand l'aube commence à blanchir les collines, aux premiers frissons du matin!

Entre tous il savait, à l'heure où le ciel prend la couleur de l'airain rougi, guetter pendant la marche les timides filles d'Agar qui curieuses passaient la tête par la *taka* de leur litière, et leur montrer, de façon à n'être vu que d'elles, les foulards rayés d'or, ou les colliers de corail, ou les anneaux ciselés, au les amulettes magiques, toutes les clefs qui, comme le *Sésame* de nos contes, ouvrent les serrures et les portes verrouillées par l'époux.

Quand la longue caravane glissait sans bruit dans les horizons bleus, que le soleil touchant les mamelons rayait l'espace de larges bandes d'or, et que les cavaliers en avant, le fusil sur l'épaule, poussaient les troupeaux fatigués, en fouillant les lointains pour y découvrir les palmiers de la source, Mansour avait fait son choix.

C'est le moment où l'on peut, derrière le mari, escalader la litière rouge huchée sur le chameau docile.

Et la fille des Oasis, tremblante et toute chargée de parfums amoureux, l'aidait de son bras potelé où les bracelets d'argent s'entrechoquent avec un joyeux cliquetis, et, fermant le rideau jaune, le recevait entre ses seins.

Ainsi il augmenta le nombre de ces heures, dont le ciel est si parcimonieux et qui passent si rapides qu'elles ne comptent pas dans la marche du temps.

Et dans les longues journées fatigantes et arides, sous le soleil qui embrase et sur le sable qui brûle, dans la poussière épaisse que soulèvent les chameaux sous leurs pas lents et lourds, au milieu des périls et des veilles, par la soif ardente, il sut se verser à lui-même ces gouttes de rosée de la vie qu'on appelle l'amour.

Il oubliait. Il oubliait.

Les instants sont dans les mains du fort. Après Dieu, c'est le maître de l'heure.

XXVII

Combien de fois aussi, dans les nuits sans lune, alors que seuls, les chiens gardaient le douar endormi, il a rôdé, hardi larron, convoitant le bien de l'époux.

Il avait la magie des braves; il savait les signes qui rendent les aboyeurs silencieux, les mots qu'on dit aux *djinns* invisibles pour les forcer à balayer la voie.

Nu comme le père des hommes et le *flissa* aux dents, il se glissait dans la tente où l'attendait, effrayée, celle qu'il avait choisie. Alors près de l'époux, dont il entendait le souffle, il volait sur la bien-aimée tremblante sa large part d'amour.

Puis il partait pour ne plus revenir. Car c'était ainsi: jamais deux fois il ne buvait à la même coupe. La cruche ébréchée ne lui servait plus.

Il l'avait juré sur la mémoire de Meryem.

Et les jeunes gens l'enviaient et disaient, quand ils le voyaient passer sur la belle Oureka, la fille du poulain noir que jadis lui donna son père:

— Le voilà, le voilà, celui qui commande aux *djinns*.

XXVIII

Mais l'âge vint, hôte non convié; il vint un matin frapper à sa porte.

Mansour se réveilla en sursaut, rêvant de son vieux père, et se soulevant sur le coude, il se trouva les membres roidis.

Il s'étonna et dit: «Qu'est-ce?» Alors il remarqua pour la première fois que sa barbe n'était plus noire; et comme ses poils, un à un, se vêtissaient de blanc, ses heures se vêtirent de deuil.

Sous le haik qui couvrait son front, il n'avait pas songé encore à compter les rides. La fantaisie lui prit de les voir, et, devant sa glace muette et brutale, il se demanda, soucieux, quelle lourde charrue creusait ces sillons.

C'était la charrue de la débauche, celle que ne suit pas le semeur et qui laisse les sillons stériles.

Et une femme, qu'il convoitait depuis longtemps, lui dit en face:

—Va-t'en, tu es vieux!

Ainsi donc, il était vieux, lui qui croyait sa jeunesse éternelle; il était vieux, puisqu'une femme osait le lui dire. L'amour qui l'avait tant gorgé lui faisait enfin banqueroute.

Ce fut le coup de massue.

Son cerveau en resta fêlé. Lui, «l'Heureux», n'allait donc plus l'être; lui, accoutumé à plier la fortune à ses caprices, allait-il à son tour devenir le jouet des caprices?

Il ne le croyait pas; ne voulait pas le croire; il essaya ailleurs; mais partout on lui dit:

—Tu es vieux!

—Elles se sont donné le mot, pensa-t-il.

Car il se sentait jeune, en dépit de ses poils gris et de la roideur de ses membres. Si le corps avait vieilli, le cœur, resté le même, n'avait que vingt ans.

Cependant le vide se faisait autour de lui, car tous le haïssaient; ses anciens compagnons et ses admirateurs d'autrefois, devenus époux et pères, le tenaient avec soin, depuis longtemps, à l'écart. Célibataire stérile et jaloux, il se voyait entouré de défiance et de haine.

Qu'allait-il faire? Après s'être si longtemps repu aux frais et aux dépens des autres, il ne lui restait plus qu'à se repaître à son propre compte et à ses propres risques. Certes, malgré les larges brèches creusées dans son avoir par les vingt années de jouissance, il était assez riche pour acheter une femme et la choisir parmi les belles; mais c'était une affaire grave.

Il avait joué tant de maris! ne serait-il pas joué à son tour? Lui, si audacieux et si habile, trouverait-il enfin son maître?

C'est écrit: «Celui qui a trompé sera trompé; celui qui a battu sera battu; celui qui a volé sera volé; et celui qui a souillé la femme de son voisin, s'endormira enveloppé de souillures. Le mal doit être rétribué par le mal.»

XXIX

Cependant, plus que jamais, la solitude lui pesait. Il était las de la vie vagabonde. Et si les femmes ne voulaient pas de lui, il voulait au moins une femme.

L'homme ne peut rester seul. Il faut qu'une douce main passe sur lui pour assouplir sa dure écorce. Il faut le rayon d'une prunelle de femme pour chauffer son foyer et éclairer sa vie. De tous temps l'ont dit les sages: «L'homme sans compagne marche à tâtons; il s'égare, trébuche et roule dans la boue.» Car dans la rude et sombre route, c'est elle qui tient le flambeau, tandis que lui, ouvre la marche.

Ceux qui ne réfléchissent pas ont dit:

«L'épouse se ceinture avec des vipères, elle s'épingle avec des scorpions.»

«La femme, c'est le mal.»

Elle n'est le mal que parce que l'homme a jeté sur elle ses souillures, et les vipères de sa ceinture sont celles dont son maître l'a enlacée.

Non; l'homme ne doit pas rester seul. Il ne doit pas non plus, muet envieux, s'asseoir en parasite près de la joie des autres. Il lui faut son foyer à lui, sa femme à lui, ses enfants à lui. C'est encore la grande loi. L'intrus dans le foyer éteint le foyer.

Mansour le comprit, mais trop tard. Lui qu'on appelait l'heureux et l'habile, il se trouva misérable et reconnut qu'il n'était que fou. Avec le vide de sa maison, il sentit le vide de sa vie.

Les amours d'une heure n'y avaient pas laissé plus de traces que n'en laisse dans l'air où il passe le reflet des sabres tirés.

Oui, il lui fallait prendre femme. Il l'aimerait de l'amour des jeunes, avec un cœur de jeune, une force et une énergie de jeune; il l'aimerait jusqu'à la fin, jusqu'à ce que son heure ait sonné, et alors il partirait en disant:

—J'ai goûté à tout!

XXX

Mais chaque jour il hésitait, assailli d'appréhensions.

Ce qu'il redoutait, c'était de ne pas humer les premiers parfums de la fleur qu'il cueillerait pour embaumer le reste de ses ans.

Être dupé pendant le mariage est une honte — du moins d'après les préjugés des hommes qui attachent la honte à un acte auquel ils sont étrangers, — mais dupé avant! quelle misère!

Payer comme neuve une marchandise avariée; acheter une orange déjà sucée par un autre; fouiller dans une pastèque vide; ouvrir une grenade où il n'y a plus de pépins; verser son bonheur dans un vase et trouver une fissure au fond!

Voilà ce qu'il ne voulait pas. Il le jura sur les cendres de son père, oubliant son compte avec l'éternelle Justice.

Le Prophète a dit: «La femme doit être obéissante et soumise. Elle doit conserver, en l'absence du mari, ce qui n'appartient qu'au mari. Celle-là est vertueuse, elle fait la joie de l'époux, l'orgueil de la famille, et ses actes sont inscrits au livre des bonnes œuvres. Honore-la à l'égal des anges.»

— Mais celle-là, se demandait-il, où est-elle?

Il avait longtemps cherché, bravant la loi du Koran qui punit l'adultère. Il avait cherché du Midi au Nord, dans le Sahara et dans le Tell, sous la maison de poil du *bedoui* ou dans la maison de pierre du *hadar*, et partout trouvé des épouses faciles. Avec les plus farouches, le succès avait été une question d'adresse, de *douros* et de temps. Peut-être frappait-il aux mauvaises portes, mais cependant il entendait chacun dire:

— Mes femmes, à moi, sont fidèles.

Et pour les filles, mêmes banalités. Cœurs et corps prêts à s'ouvrir au premier qui se présente, et il fallait arriver de bonne heure pour s'y trouver le premier.

Comment compter sur une fille sage, lui qui vit de jeunes hommes prendre pour épouses plus d'une dont il avait acheté l'honneur et qui disaient le lendemain des noces:

—Le ventre de ma bien-aimée était vierge, comme celui de Lalla-Fathma.

L'heureux époux parlait avec conviction, mais Mansour pensait, en souriant, que par les tribus aussi bien que dans les cités, il est d'habiles matrones.

Il songeait alors et se rappelait; ce n'est pas impunément que l'on fouille dans les cendres du passé.

—Meryem! Meryem!

Ce nom revenait à lui, triste et doux, radieux et lamentable.

Il avait cru parfois l'effacer dans les étourdissements de sa jeunesse et les mâles passions de l'âge mûr.

Il avait cru lui creuser une fosse, l'enfouir comme un cadavre et jeter dessus les pelletées de noms de toutes ses maîtresses d'un jour; il le croyait bien enterré et bien oublié, mais voilà maintenant que l'âge viril s'en allait et qu'il frappait aux portes de la vieillesse, le souvenir enseveli se dressait tout à coup et, se dépouillant de son linceul d'oubli, étalait, vivante et vengeresse, cette terrible épave de jadis:

—Meryem! Meryem!

XXXI

Meryem! Meryem!

Nom fatidique qui le poussa dans tous les orages de la vie. Inceste et adultère! Trahison et rapt!

Meryem! Laquelle? Car il y en avait deux, et toutes deux perdues par lui, toutes deux jetées par lui hors de la voie droite, se confondaient dans sa pensée en ce radieux nom de vierge.

Il ne pouvait arrêter son souvenir sur l'une, sans que l'autre vint aussitôt présenter son image.

Commencement et fin, premier et dernier amour, première et dernière page du livre de son cœur. Le reste ne lui semblait que boue.

Le dernier amour! Alors il était vigoureux et fort, il s'en souvenait; sa barbe était encore noire et son jarret musculeux; il avait déjà bien vécu, mais les yeux des femmes lui souriaient et nulle ne songeait à lui dire: Tu es vieux.

Y avait-il donc si longtemps? Sa mémoire en était toute fraîche. Hier! c'était d'hier, et cependant dix fois déjà les palmiers du *Beled-el-Djerid* avaient donné à ses paisibles habitants leur double moisson de dattes. Dix ans! un abîme dans la vie! une seconde dans le souvenir!

Oui, il s'en souvenait. Et la douce vision, évanouie comme un rêve, revenait distincte se placer devant lui.

XXXII

C'était un soir. Assis contre un des petits murs qui séparent les uns des autres les jardins de *Msilah*, il rêvait solitaire et soucieux dans le chemin désert.

La voix grave, lente et solennelle du muezzin vibra tout à coup dans l'air, et il écouta machinalement le prêtre crier du haut du minaret aux quatre coins de l'horizon:

«—A Dieu appartiennent le levant et le couchant; de quelque côté que vous vous tourniez, vous rencontrerez sa face;

»Dieu est un;

»Élevez vos âmes et adorez!»

Alors il s'agenouilla et, le front dans la poussière, fit, tourné vers l'Orient, la prière prescrite, puis il se rassit, le dos appuyé aux pierres, et regarda entre les palmiers les petits nuages pourprés flotter dans un bain d'or au-dessus des mamelons bleus de l'occident.

Le grand calme planait tout autour. Les bruits du Ksour s'étaient peu à peu éteints, et dans les jardins de l'oasis, il entendait le bruissement des chacals qui, se glissant par les brèches des murs, commençaient leur maraude nocturne.

A quoi songeait-il? Peut-être à la fille du muezzin *El-Ketib*, dont la voix venait d'évoquer l'image. On l'appelait *la Perle du Ksour*, et l'avant-veille il l'avait aperçue sur la terrasse, sans voile, avec ses grands yeux noirs et ses seins de houri. Elle arrosait des grenadiers en fleurs et, pendant plus d'un quart d'heure, caché derrière le treillis d'une fenêtre de la maison de son hôte, il suivit ses mouvements gracieux. Tantôt accroupie près des vases, émondant délicatement l'arbuste, tantôt debout, la tête inclinée sur l'épaule, elle laissait tomber d'une urne de terre rouge un mince filet d'eau.

Puis, de ce pas nonchalant et avec cette voluptueuse ondulation des hanches de la jouvencelle qui sent venir l'amour, elle allait remplir sa *djouna*.

Il s'y connaissait bien, à ces délicieux symptômes, et ce n'est pas lui qui, en cette matière, pouvait se laisser tromper.

Aussi comme il se sentait pris! «Celle-là, disait-il, je l'aimerai plus que les autres; elle fixera mon cœur.» Car c'est toujours ainsi qu'il parlait, quand il convoitait une proie nouvelle.

Et dès le jour même, stratégiste habile en ces genres de batailles, il étudiait la place qu'il voulait assiéger.

Le muezzin vieillard avare, borgne, pieux et sévère, gardait sa fille comme son œil unique. C'était la plus jeune, et, selon toute probabilité, il n'en aurait plus d'autre. Aussi, ayant grossi ses revenus par les riches sadoukas des amoureux époux de ses premières filles, il comptait avec la dernière, la plus belle de toutes, arrondir définitivement son bien. Il veillait donc sur elle comme on veille sur un sac d'écus.

Mais Mansour n'était pas homme à s'étonner et à se rebuter devant les obstacles, et dans ses équipées d'autrefois, il avait rompu de plus puissantes barrières et bravé de plus redoutables dangers.

XXXIII

Il calculait dans le petit chemin jusqu'à quel prix l'une des servantes de la fille pourrait élever la vente de sa conscience en lui facilitant les moyens d'approcher de sa jeune maîtresse, lorsqu'il entendit un léger bruit de pas, et vit s'avancer un homme que malgré l'obscurité il crut reconnaître.

C'était le fils d'*El-Arbi-ben-Souafa*, l'ancien caïd des *Ouled-Amdou*, dont les troupeaux avaient été rasés par les Roumis, dans l'affaire de Tuggurt, et qui, du soir au matin, d'homme riche et puissant, s'était trouvé pauvre entre les pauvres.

Ce jeune homme lui plaisait; il avait une figure sympathique et douce, et le malheur récent tombé sur sa famille le rendait encore plus digne d'intérêt. A peine âgé de vingt ans il se proposait, n'ayant nulle ressource, d'entrer dans les mokalis du caïd de Msilah.

Mansour se préparait à l'interpeller au passage, mais le jeune homme s'arrêta, regarda sans le voir dans les jardins d'alentour, puis escalada le mur.

—Oh! oh! se dit Mansour, la misère le pousse-t-elle à ce point qu'il va voler des grenades dans le jardin du muezzin?

Il reconnut bientôt son erreur et quelle était la grenade que venait voler Lagdar, car il entendit un chuchotement confus, puis distinctement ces paroles:

—Quatre cents douros! Il demande quatre cents douros, ma blanche gazelle. Certes, tous les palmiers des oasis et les grands troupeaux qui paissent dans les plaines du Tell et les juments des *Ouled-Nayl* ne pourraient payer seulement un de tes regards; si j'étais le maître de l'Univers, je retendrais comme un tapis devant toi, en échange d'un sourire; mais où veut-il donc, le vieillard au cœur de roche, que moi, le fils d'El-Arbi le ruiné, je ramasse quatre cents douros?

—Je ne sais pas compter, dit une douce voix qui fit tressaillir Mansour; c'est donc une bien grosse somme?

—C'est le prix de quatre juments du Haymour!

—Qu'Allah nous protège!... Quatre juments du Haymour!...

—Et je n'ai même pas de quoi acheter un âne de Biskara.

—Eh bien, Lagdar, je veux être à toi pour rien.

—Oh! joie de mes yeux, lune de mon âme, soleil de mon cœur, rosé et parfum de ma vie, j'attendais cela de toi.... Eh bien, nous fuirons! Je te conduirai au ksour d'*El-Djema*, chez ma mère, et le muezzin El-Ketib viendra, s'il le peut, t'arracher de mes bras. Oui, nous irons. Dussé-je faire la route à genoux dans les sables avec toi dans les bras, je trouverais le chemin court et le fardeau léger.

—Elle est encore vierge, se dit Mansour.

—Mais il faut se hâter, continua Lagdar; peut-être demain ton père acceptera les offres d'un riche. Chaque heure qui passe jette une pierre entre nous, et bientôt il y aurait un mur. Il faut partir demain. Que dit ton cœur?

—Mon cœur tremble, mais il dit oui.

—Et la tête?

—Ma tête veut ce que tu veux.

Il y eut un moment de silence. Mais les lèvres l'une sur l'autre, continuèrent à s'agiter.

—Alors demain, à la même heure, je serai ici avec un homme du *Djebel-Sahari*, un ami dévoué. Il amènera pour toi une mule grise dont le pas est rapide et sûr, et au lever du soleil, s'il plaît à Dieu, nous aurons atteint le Ksour.

—Qu'il plaise à Dieu!

—Et maintenant, laisse-moi encore goûter à tes lèvres.

Ils restèrent longtemps embrassés, puis chacun s'enfuit en se jetant cette promesse:

—A demain!

—A demain!

Mansour, immobile dans l'ombre, laissa passer l'amant heureux.

—Ça n'a pas un *boudjou* et ça aime! murmura-t-il. Attends donc que tu aies gagné de l'argent pour connaître le prix d'une femme. Et moi, ajouta-t-il avec amertume, je suis venu trop tard. La *Perle du Ksour* appartient à un autre. Maudit soit le jeune drôle! Comme pour Meryem, l'épouse de mon père, je suis venu trop tard!

XXXIV

Le lendemain, de grand matin, il se trouvait sur la place. Déjà elle était toute ensoleillée, et il s'assit à l'ombre de l'auvent de la boutique de ton serviteur *Ali-bou-Nahr*. Je débutais alors dans l'art divin de la médecine, triste métier dans le Souf, où les barbiers et les maréchaux se partagent la clientèle! Aussi, pour utiliser mes trop nombreux loisirs j'écrivais des amulettes et je calligraphiais des copies du Koran.

Mansour me demanda du feu pour allumer son chibouk, et après avoir suivi quelque temps les spirales bleues qui montaient lentement et se perdaient dans l'air diaphane, il me dit:

—Vends-tu des philtres pour se faire aimer, thébib?

—Je vends de tout; l'amour comme la haine. J'écris les mots magiques qui préservent des balles et ceux qui garent du *flissa* du mari outragé. La foi guérit.

Mais quoi! Mansour, toi qu'on surnomme l'Heureux, as-tu besoin de pareilles amulettes?

Il se mit à rire et répondit:

—Quelquefois.

—Le meilleur talisman est d'être beau et bien fait.

—J'en connais un meilleur encore: c'est l'audace.

En ce moment un jeune homme passa d'un air effaré près de nous; Mansour l'appela:

—Lagdar-ben-El-Arbi, je te croyais déjà enrôlé dans le Mag'zen.

—Pas encore, dit Lagdar.

—Tu as peut-être raison d'attendre. Ton père était mon ami et je te veux du bien.

—Parle, homme. Tes paroles sont comme toi, les bienvenues.

—Tu me connais sans doute de nom, quoique je sois étranger au Ksour. Je m'appelle Mansour-ben-Ahmed, mais le thaleb Ali-bou-

Nahr te dira que les gens du Tell et ceux du *Beled-el-Djerid* ont ajouté à mon nom celui de *Messaoud*, parce qu'ils prétendent que tout me réussit.

—Je le sais, répondit Lagdar.

—Alors, écoute. Je vais faire un nouveau voyage au pays des nègres. Tu n'ignores pas que c'est une périlleuse et dure entreprise; aussi, j'ai besoin de jeunes hommes, braves et solides. J'ai pensé à toi. Veux-tu m'accompagner?

—Ta proposition m'honore, Mansour, je t'en remercie. Et quand veux-tu partir?

—Tu me vois attendant mes chameaux qui doivent arriver de Constantine avec un chargement d'étoffes de soie, de chechias, de burnous et de haiks. S'ils sont ici demain, je les ferai reposer un jour et nous partirons.

—C'est impossible, répondit le jeune homme, et je le regrette, tout en étant plein de gratitude pour ton offre, mais j'ai une affaire sérieuse.

—Sérieuse! Qu'est-ce qui peut être plus sérieux que la fortune dans cette vie? Car c'est la fortune, la belle fortune toute ruisselante de douros et de séquins que te procurera ce voyage. Qu'est-ce qui peut être plus sérieux quand on a vingt ans, si ce n'est la misère des misères: l'amour!

Lagdar jeta sur ce blasphémateur un regard d'indignation et de pitié.

—Tu t'indignes et tu me méprises, parce que je méprise l'amour, jeune présomptueux. O ignorance bénie! Mais crains que la science trop tôt ne t'arrive. Oui, l'amour pauvre; entends-tu? *pauvre*, est la misère des misères et il te vaudrait mieux coucher toute nue ta bien-aimée, sous le soleil brûlant et les piqûres des moustiques, que l'exposer aux froides morsures de la pauvreté. Elle y perdra son amour, sa beauté et son cœur; ses mains glacées n'auront plus de caresses. Et, quand tu voudras baiser sa bouche maigrie, tu ne sentiras que ses dents et l'odeur de son estomac vide.... Allons, jeune homme, sois des miens, et tu sauras bien trouver au Soudan les quatre cents douros exigés par le père avide.

—Par les quatre-vingt-dix-neuf noms d'Allah, qui t'a parlé de ceci? s'écria le jeune homme.

—Bah! je sais tout et bien d'autres choses encore, Lagdar-ben-El-Arbi. Les gens d'ici m'appellent l'*Heureux*, mais il y a longtemps que ceux de ma tribu m'ont salué du nom de *Thaleb*.

Non, je n'avais pas encore ton âge, quand les vieillards des *Ouled-Sidi-Abid* m'ont crié à mon départ: «Sidi-Thaleb, je te salue.» Ah! c'est loin! c'est loin!

Et, penchant la tête sur sa poitrine, sa bouche, sans qu'il y prît garde, laissa échapper le nom de *Meryem*.

XXXV

Ladgar le recueillit comme une perle qui tombe. Il eût voulu le prendre avec ses lèvres.

—Qui t'a dit son nom? s'écria-t-il, furieux qu'un autre osât le prononcer. Parle, je veux savoir qui s'occupe ainsi de mes secrets.

Mansour releva la tête.

—Ai-je dit son nom? Alors, je te le jure, c'est sans le vouloir; il m'a échappé comme un oiseau qui s'envole. Ah! s'il pouvait ne jamais revenir! Mais, puisque tu t'emportes et que tu insistes, je te dirai encore autre chose. Viens ici et parlons à voix basse: tu dois l'enlever ce soir au moment de l'*eucha*.

N'ouvre pas ainsi les yeux comme un Roumi à qui l'on a coupé les paupières, écoute plutôt un conseil: n'escalade plus le mur du jardin du Muezzin, car à la place de la fille aux doux yeux, tu pourrais ne rencontrer que la pointe d'un *flissa*. J'ai dit.

—On m'a trahi. Maudit soit celui qui a pu me surprendre et saisir mes paroles. Je saurai me venger!

Mansour, voyant ces lèvres presqu'imberbes proférer des menaces, sourit:

—Songes plutôt à devenir riche, dit-il. Et alors tu achèteras la fille le prix que le père en demande.... Si tu l'aimes encore et si tu crois qu'elle vaille quatre cents douros.

—Elle en vaut quatre mille et je l'aimerai toujours.

—Quatre mille, c'est beaucoup; et *toujours* en amour est un mot ridicule.

—Dix mille douros ne pourraient la payer.

—Arrêtons-nous à quatre cents, dit froidement Mansour, c'est déjà une somme. Cela fait deux mille francs, comme comptent les Roumis, et l'on ne donne plus guère ce prix pour une fille dont on a goûté les primeurs.

—Homme, s'écria Ladgar, frémissant de colère, tu mens! Qui t'a dit qu'elle s'était livrée à moi? Qui t'a dit que j'avais fait autre chose que baiser le velours de sa joue rougissante et le bas de sa gandourah? Que la malédiction du Prophète tombe sur ta tête, ô toi, qui insultes de tes jugements téméraires la Perle de Msilah!

Mansour sourit de nouveau devant cette indignation furieuse. Elle lui mettait la joie au cœur: «Je ne me suis pas trompé, elle est vierge», pensa-t-il. Et tout haut:

—Ta colère me plaît, fils d'El-Arbi; j'aime voir défendre l'honneur des femmes. Cela montre un homme de cœur. D'ordinaire, ceux de ton âge en parlent avec dédain. Les amours dans les oasis et les ksours sont faciles; et parce qu'ils n'ont pas respecté leur fiancée, les jeunes hommes disent: «Il n'en est pas de respectable.»

Mais nous autres, qui avons plus vécu, et heurté vainement à bien des portes, nous savons la vérité. Oui, par Allah, il est des filles honnêtes, et celle du Muezzin est du nombre. Elle vaut les quatre cents douros!... Quatre cents douros! Cela se compte pourtant, et cela fait poids et est long à amasser! Songe que son père a pris d'elle bien des soins, espérant qu'un jour viendrait où il en toucherait la récompense. Chaque peine mérite salaire. Et la virginité d'une fille ne se garde pas sans plus d'une veille, d'une inquiétude et d'un souci. Tout semeur doit récolter; celui qui sème le bien comme celui qui sème le mal. Le Muezzin a semé une merveille; veux-tu le priver de sa moisson?... Fils d'El-Arbi, ton père était un homme intègre. Il disait: «A chacun le sien.» Il avait une parole droite, et dans ses actions allait droit devant lui. N'es-tu pas de sa race? Alors, pourquoi prendre des chemins tortueux? Pourquoi tenter de frustrer ce vieillard de ses espérances? Pourquoi lui voler du même coup son enfant et sa *sadouka*? Ah! il est toujours aisé de séduire une vierge et de l'entraîner dans une voie obscure. Les anciens ont dit à la femme: «Tu quitteras ton père et ta mère pour suivre ton époux.» Mais ces prescriptions étaient inutiles, car elles sont écrites dans la Loi de Nature: «Toute fille quittera père et mère pour suivre le premier venu qui est entré dans son cœur.» C'est donc pour toi une victoire facile, mais ce qui le sera moins, c'est de chasser le remords. Le remords! sur la tête sacrée du Prophète, n'apprends jamais à le connaître. C'est le venin jeté sur les fleurs de la vie. Il les souille et empêche d'en goûter les parfums. Oui, après les premiers transports, la vieille honnêteté que tu tiens de ton père El-Arbi se révoltera à la pensée des quatre cents douros, prix de la *sadouka* volée au vieillard.

—Je crois que tu as raison, homme.

—Inaugureras-tu par la fraude l'ère de ton amour? En même temps que ton premier baiser, ton nom sera-t-il inscrit dans le *Siddjin* avec ceux des fourbes et des prévaricateurs? Le dol sera-t-il le *djinn* qui présidera à ta nuit de noces? J'en jure sur ma tête et sur la tienne, même dans les bras de ta jeune épouse, tu sentiras sur tes épaules le poids des écus volés.

—Tu es de bon conseil; parle, je suivrai tes avis.

—Je n'ai qu'à te réitérer mes offres. Je te l'ai dit; je voulais t'emmener au pays des nègres. Si tu veux ton bien toi-même, tu me suivras et nous reviendrons avec la *sadouka* de ta fiancée.

—Combien de temps durera ce voyage?

—Six mois au plus et tu seras riche.

—Six mois! Mais le Muezzin l'aura livrée à un autre? Elle se fait femme; elle a bientôt quatorze ans!

—Rassure-toi. On ne trouve pas tous les jours dans le *Beled-el-Djerid* un amoureux capable de donner quatre cents douros pour... les yeux d'une fille.

—Il en trouvera. Il en trouvera qui la paieraient davantage.

—Eh bien! je ferai plus pour toi que te donner un conseil stérile. Je tiens à toi et je veux, sur les bénéfices futurs de notre voyage, t'avancer cent douros que tu porteras en à-compte au Muezzin.

—Est-il possible? Quoi, tu ferais cela pour moi, ô le plus juste et le plus généreux des croyants!

—Viens à l'heure de l'*eucha*, je te compterai cette somme, et sans plus tarder tu iras frapper chez le vieillard. On t'ouvrira. Nul ne refuse la porte à qui se présente avec un sac d'écus. Le bonhomme, trop heureux de les prendre, se trouvera ainsi engagé.

—L'*eucha*, dis-tu? J'avais fixé cette heure à ma bien-aimée! Ne peux-tu en choisir une autre?

—Non, elle seule me convient. J'ai affaire tout le jour. Est-ce entendu?

—Je vais te dire: Meryem sera au rendez-vous, et je n'ai pas d'autre moment ni d'autre endroit pour la prévenir.

—Eh bien, laisse-la attendre. Elle n'en deviendra que plus amoureuse, surtout lorsqu'elle saura pourquoi elle a attendu.

—O mon père! s'écria le jeune homme en se précipitant pour baiser le bas du burnous de Mansour, que la bénédiction d'Allah et celle du Prophète se rencontrent sur ta tête, et que tu continues jusqu'à la dernière minute à mériter ton surnom d'*Heureux*!

—Ne manque pas l'heure! Aussitôt que les dernières paroles du Muezzin auront vibré dans les espaces, frappe à ma porte. L'exactitude est la sœur de la réussite.

—S'il plaît à Dieu, j'y serai.

XXXVI

La nuit descendait. Le Muezzin s'était tu. Sur la place, au coin des rues, près de la fontaine, des hommes debout, agenouillés ou étendus pour le prosternement, tournaient leurs faces vers l'Est. «Car chacun a une plage du ciel vers laquelle il se tourne,» mais c'est toi, Orient, l'oratoire sacré, la source du monde; c'est sous tes ardeurs qu'a jailli le germe d'où sont écloses et ont coulé les nations.

Les bras en croix sur la poitrine, ou élevés à hauteur du visage, ils faisaient monter leur pensée jusqu'au Maître des crépuscules et des aubes. C'était l'heure silencieuse et solennelle de la prière et de l'adoration.

La grande silhouette du minaret se dressait toute blanche dans le bleu sombre du ciel. Les palmiers passaient leur tête chevelue derrière les terrasses, et dans les interstices des troncs noirs éclataient encore les flamboiements de l'Occident. Des cigognes perchées sur une patte, immobiles comme le temps au-delà des mondes, sommeillaient sur les arêtes des toitures, au-dessus de ce peuple recueilli, et des ombres de femmes glissaient silencieusement le long des murs blanchâtres.

Alors on frappa à la porte de la maison qu'habitait Mansour.

Quelques minutes s'écoulèrent, puis il y eut les pourparlers habituels:

—Qui est là?

—Un homme.

—Qui es-tu?

—Lagdar-ben-El-Arbi.

—Que demandes-tu?

—Mansour-ben-Ahmed.

—Tu veux lui parler?

—S'il plaît à Dieu.

—Redis ton nom.

—Lagdar-ben-El-Arbi.

—Attends.

Un jeune garçon fit entrer le visiteur dans le petit vestibule dallé et garni de bancs de pierre qui sépare la rue de la cour intérieure et que nul étranger ne franchit.

—Assieds-toi, homme, dit-il à Lagdar, je vais appeler Mansour.

Il referma avec soin la porte, et bientôt deux ou trois femmes crièrent l'une après l'autre d'un ton dolent:

—Mansour! Sidi-Mansour! ô homme! Mansour-ben-Ahmed! *Ia radjel!* ô homme! Sidi-Mansour-ben-Ahmed!

Sidi-Mansour-ben-Ahmed ne répondant pas, la porte se rouvrit et le jeune garçon conseilla au visiteur d'attendre un instant.

Lagdar attendit donc, dévoré d'impatience, car l'*instant* fut de longue durée. Il se disait qu'il aurait eu deux fois le temps de courir au rendez-vous de Meryem; cependant, encore plein de confiance, il écoutait les moindres bruits du dedans et du dehors, se levant et disant à tout pas qui approchait: «Enfin, le voici,» et ce ne fut qu'après une heure passée ainsi, longue et stérile, qu'un vague soupçon traversa son esprit.

Et ce démon aux griffes aiguës qui s'appelle *Inquiétude* le tordit et le tenailla.

Il frappa de nouveau et cria:

—Femmes, Mansour-ben-Ahmed est-il ici?

Les voix dolentes recommencèrent:

—Mansour! Sidi-Mansour! *Ia radjel!* ô homme! Mansour-ben-Ahmed! Sidi-Mansour-ben-Ahmed! ô homme!

Puis des bruits confus. On monta et on redescendit l'escalier de pierre, et une vieille cria d'une galerie haute:

—Comment t'appelles-tu?

—Lagdar-ben-El-Arbi.

—Que veux-tu?

—Parler à Mansour-ben-Ahmed, s'il plaît à Dieu!

—Il n'est pas ici; il est sorti pour ses affaires, mais il a dit qu'il reviendrait.

Lagdar, furieux, ne voulut pas attendre davantage; il se précipita au dehors. Peut-être trouverait-il encore Meryem? Mais il se heurta à un grand nègre qui le retint par l'épaule.

XXXVII

Es-tu Lagdar-ben-El-Arbi?

—Oui, noir.

—Dieu soit loué! tu es l'homme que je cherche.

—Tu es envoyé par Mansour?

—Ah! ah! saintes mamelles! Mansour-ben-Ahmed, Mansour l'Heureux, Mansour le père du fusil, Mansour le maître du sabre, Mansour le thaleb, c'est mon maître; oui, oui, le maître du *negro*. Il n'y en a pas un qui le vaille. Tu chercherais longtemps avant de rencontrer son pareil. Il te faudrait marcher jusqu'à Constantine, et peut-être jusqu'à Alger la Sainte, pour trouver le frère à *Bou-Zeb*. Car on l'appelle aussi *Bou-Zeb!* Ah! ah! ah! Le savais-tu?

—Oui; dépêche-toi. Que t'a-t-il dit?

—Je suis stupide comme un mouton écorché. Je te demande si tu connais Mansour! Qui est-ce qui ne connaît pas Mansour dans le Tell et le Beled-el-Djerid?

—Homme, explique-toi. De quelle mission t'a-t-il chargé?

—Il m'a dit: «Salem—je m'appelle Salem,—tu iras vers Lagdar-ben-El-Arbi, qui attend dans ma demeure.» Mais es-tu bien Lagdar-ben-El-Arbi? Vois-tu, moi, on peut me tromper facilement; je suis, comme mon maître, étranger au Ksour, et nous autres, pauvres ignorants nègres, nous croyons tout ce qu'on nous dit.

—Sors et appelle le premier passant, il te dira mon nom.

—Ah! ah! tu es l'homme, je le vois bien. Alors, que vais-je te donner?

—Toi, je ne sais; mais j'attendais ton maître, qui doit me donner cent douros.

—Cent douros! saintes mamelles! cent douros! Jamais le pauvre nègre ne possédera pareille somme. Si j'avais cent douros, j'achèterais toutes les filles du Soudan.

—Hâte-toi! nègre. Sur ta tête, hâte-toi!

—Voici. Je reconnais bien que tu es l'homme. Si je t'apportais cent coups de bâton, tu ne serais pas si impatient. Oui, tu es l'homme. Le Prophète soit loué! Je l'ai prié tout le long du chemin pour qu'il me fasse te trouver sans trop de recherches, car mon maître m'a dit justement ce que tu viens de me dire: «Hâte-toi!»

—Tu ne suis guère son avis ni le mien.

—Comment! tu ne vois donc pas comme j'ai couru? Je sue l'eau ainsi qu'une source agréable à l'œil. Oui, tu vois en moi une source. Mais je me suis goûté et je me suis trouvé salé! Par la mère d'Aïssa, qui était pucelle comme la mienne le jour où elle m'a engendré, les chameaux ne voudraient pas de moi! Ha! ha! ha!

—Au fait, noir, sur ta tête, au fait!

—Le fait, le voici: Mon maître m'a parlé en ces termes: «Tu vois ce sac, Salem?—Oui, maître.—Il contient cent douros.—Oui, maître.—Tu vas les porter...—Oui, maître.—A celui qui s'appelle Lagdar-ben-El-Arbi.—Oui, maître.» Alors je suis parti et il m'a rappelé, et je suis retourné sur mes pas, et il m'a encore parlé en ces termes: «Tu ajouteras ces mots: Fais ce qui est convenu.—C'est tout?—C'est tout.» Et me voici. Les mots, je viens de te les dire, et voilà les cent douros.

Et il tira de dessous son burnous un sac de cuir qu'il secoua en riant et qui rendit un joyeux son d'écus.

—Voilà de quoi acheter toutes les vierges du Soudan! ah! ah! ah!

Et il se mit à danser et à chanter en agitant le sac au-dessus de sa tête:

Cent douros pour cent pucelles,
Cela vaut le Paradis!
Cent douros! deux cents mamelles!
On peut narguer les houris!

—Ivrogne! s'écria Lagdar, c'est toi la cause de ma longue attente. Tu t'es arrêté dans quelque bouge, car tu pues l'anisette.

—O Dieu! entendre de telles choses! Moi qui, de ma vie, n'ai bu que de l'eau de la fontaine. J'ai couru, te dis-je, c'est la sueur que tu sens.

Lagdar mit la main sur le sac.

—Non, non, dit vivement le nègre, il faut compter.

—C'est inutile. Bien que tu pues, comme un chrétien, les liqueurs fermentées, je m'en rapporte à toi. Si tu as disposé d'un douro sur ton chemin, je te le donne.

—Par les quatre mamelles de mes femmes! demande-moi ma tête, mais ne me demande pas le sac avant d'avoir compté les douros. Il se pourrait que tu en perdes un ou deux et tu dirais: «Ce coquin m'a volé.» Dieu! moi qui n'ose pas ramasser une datte tombée de l'arbre! J'ai la peau noire, mais ma conscience est blanche. Je veux compter devant toi.

XXXVIII

Ah! mon fils, ce fut une longue et rude besogne. D'abord il fallait une lumière, et quand après bien des pourparlers il l'eût obtenue, il vida le sac sur le banc de pierre avec une telle brusquerie qu'une partie des pièces roula dans tous les coins.

Pendant que Lagdar bouillait d'impatience, il les chercha à tâtons, maudissant à grand bruit sa maladresse, puis quand il crut les avoir trouvées toutes, il les disposa par petites rangées de trois.

—Ce n'est pas ainsi, dit Lagdar, ce n'est pas ainsi qu'on compte....

—Laisse-moi faire, ne touche pas. Tu m'as fait tromper.

Alors il recommença par tas de six.

—Compte par quatre, cria Lagdar.

—Ah! laisse-moi faire! Je compte à ma manière, moi. Je ne suis pas un savant. Voilà que tu viens encore de me faire tromper.

Il s'embrouillait de plus en plus. C'était d'abord 98, puis 97 douros. Il finit par n'en plus trouver que 80.

Lagdar, tremblant de colère:

—Remets tout dans le sac, homme, je me contente de ce qu'il y a.

—Mon maître me chasserait. J'ai un peu bu, vois-tu, chemin faisant; il faut bien que je l'avoue, puisque tu trouves que je sens l'anisette, mais sur le ventre de ma mère qui n'en fera plus comme moi, et sur la tête de la tienne, je te le jure, je n'ai pas touché un seul de tes écus. Écoute-moi bien, je vais te raconter comment il se fait que j'ai bu pour la première fois de ma vie, oui, la première, une toute petite goutte d'anisette.

—Inutile, nègre, tes histoires ne me regardent pas. Allons, donne les douros.

—Jamais! à moins de vérifier toi-même devant moi, parce que je vois bien que je ne pourrais pas m'en tirer. Oui, compte, mon fils. Je veux que tu partes d'ici le cœur dégagé de soupçon; compte toi-même, compte.

Lagdar se mit à la besogne et n'en trouva que 99.

—Je m'en contente, dit-il, en les jetant dans le sac. Je les prends pour cent. Adieu.

—Non, Sidi, non, arrête. Jamais un vrai croyant ne m'a soupçonné de vol. Mon maître m'a donné cent douros, je dois te remettre cent douros.... Arrête! arrête! ah! la voici, la pièce ensorcelée, tiens, là, sous ma sebate. C'est pour sûr un djin malfaisant qui l'y avait cachée. Par les mamelles de ma mère que j'aimais à sucer quand j'étais petit, et par celles plus douces de mes femmes, c'est un douro de malheur. A ta place je ne le mettrais pas en compagnie des autres et je le jetterais à quelque gueux.

Lagdar, heureux d'en avoir fini, le lui jeta et prit la fuite.

XXXIX

Depuis l'instant où il était entré dans la maison de l'hôte de Mansour, jusqu'à celui où le nègre, avec un rire muet, eût vérouillé derrière lui la porte, près de deux heures s'étaient écoulées. Le Ksour dormait. Sur la place, de grands chameaux roux étaient accroupis près de leurs charges, le cou dressé et immobiles, et les chameliers enveloppés dans leurs burnous, allongés sur la terre sèche, oubliaient, dans le sommeil, les fatigues du jour et celles du lendemain. Il pensa que c'était la caravane annoncée par Mansour et, avec ces folles espérances des amoureux, il n'en eût que plus de hâte pour courir vers les jardins, où il s'imaginait encore trouver Meryem. Il souffrait de l'inquiétude de la jeune fille, se disant que ces cent douros, promesse de son bonheur à venir, serrés contre sa poitrine, payaient bien faiblement les tourments de son attente et les larmes de ses beaux yeux.

Il pensait que des joies futures et problématiques encore ne valaient pas les joies que l'on tient et que, sans sa rencontre avec Mansour, il cacherait à l'heure présente sa maîtresse sur son cœur, au lieu d'un sac d'écus. Elle serait chaudement enveloppée dans ses bras; blottie là, heureuse et confiante, toute à lui et lui tout à elle, sans autres témoins que les étoiles et les horizons déserts; et, tandis qu'il lui fermerait les yeux sous ses lèvres, la mule fidèle les emporterait d'un pas rapide à travers les sables.

Bonheur d'aujourd'hui! Bonheur d'aujourd'hui! Gardons-le, quand nous le tenons; enfermons-le dans notre cœur comme l'amour de la bien-aimée et ne le livrons pas aux caprices et aux incertitudes de ce ravisseur avide et changeant qui s'appelle: Demain!

Insensés, ceux qui prétendent accumuler comme des grains leurs heures heureuses dans les réserves de l'avenir! Les greniers de l'avenir sont bâtis dans les nuées. Ils disparaissent au premier coup de vent ou se fendent aux premières tempêtes. Jouis sainement du moment; lui seul t'appartient. Demain est au Maître de l'heure et, quoi que tu fasses, les tiennes sont comptées.

Et il courut donc, le fou, après ce bonheur qu'il avait eu sous la main et avait remis à huitaine, comme un billet à payer au destin. Il courait et nul autre n'errait par les rues désertes, si ce n'est sa fatalité, qui, moqueuse, suivait ses talons.

Quelques chiens affamés rôdaient, s'écartant pour laisser passer ce gêneur; d'autres raclaient avec un bruit de scie des os déjà rongés par des chameliers faméliques et ouïssant ce pas précipité, craignant pour leur maigre proie, fuyaient en grondant le long des murs gris.

Derrière lui, le haut minaret, dressé dans le ciel noir comme un génie immense, semblait veiller sur cette petite cité silencieuse, endormie dans les vastes solitudes du désert.

XL

Il arriva haletant dans le dédale des chemins de l'oasis. Alors il ralentit le pas et se glissa derrière le mur du jardin du Muezzin. Il écouta. Comme dans les rues solitaires, le grand silence planait dans les fouillis de verdure.

—Meryem! Meryem!

Nulle voix ne répondit.

Il en fut plus contrarié qu'inquiet: la fille du Muezzin ne pouvait l'avoir attendu si tard. Vesper ardait déjà haut dans le ciel et depuis longtemps l'heure du rendez-vous avait fui. Il escalada le mur et erra dans le jardin.

—Meryem! Meryem! disait-il tout bas aux buissons et aux arbres.

Quelques chacals jappèrent, et, soucieux et pensif, il rentra à la maison. De quoi se préoccupait-il? Il avait cent douros et avec cet acompte respectable il obtiendrait sûrement la parole du père; il reviendrait riche du Soudan, il aurait la perle de Msilah. De quoi se préoccupait-il, puisque l'avenir rayonnait?

C'est que l'avenir était loin encore; l'avenir c'était huit mois, et huit mois font deux cent cinquante fois demain. Et que d'heures, que de soucis, que d'imprévus, que d'incertitudes. Il était jeune, fort, intrépide. Il ne redoutait ni les fatigues, ni la soif, ni le simoun, ni les balles, ni le danger. Mais, comme tous les amants, il eût voulu jouir de suite et il se disait qu'ayant tenu le bonheur, peut-être il l'avait laissé fuir.

On connaît l'heure du départ; qui peut dire celle du retour?

XLI

Il ne dormit guère, et l'aube le trouva debout. Il s'était repenti de ne pas avoir suivi le conseil de Mansour en portant sur-le-champ l'acompte au vieillard et rêva qu'un plus heureux l'avait prévenu. Aussi les cigognes venaient de s'éveiller et le soleil ruisselait à peine le long des toits de tuile, glissant sur les blanches terrasses, que, son sac d'écus sous le burnous, il se dirigeait vers la demeure du Muezzin.

Mais comme il approchait, il entendit une grande rumeur.

Malgré l'heure matinale, la rue était pleine de monde et l'on s'entretenait dans les groupes de choses qui tout d'abord le firent frissonner; plus mort que vif, et sentant son cœur s'en aller, il essayait et craignait de comprendre, lorsque la porte s'ouvrit avec fracas et le Muezzin, la face rouge et boursouflée, la tête pelée et nue, l'œil sanguinolent, parut sur le seuil. Il enfonçait ses doigts osseux dans sa barbe blanche et criait:

—Volée, on me l'a volée. Meryem, ma douce Meryem, la perle de l'oasis. Cinq cents douros, mes enfants, j'en avais refusé cinq cents douros. Et voilà que je perds tout à la fois, les écus et le sang de mon sang. Justice, braves gens, justice! Laisserez-vous dépouiller un père? Je sais qui a fait le coup, c'est ce chacal maudit, ce vagabond voleur à qui je l'ai refusée. Lagdar, le chien Lagdar, le fils du caïd El-Arbi. Khaoui-bel-Khaoui! Ruiné, fils de ruiné; oui, il l'aura cachée chez une hideuse vieille qui fait trafic d'amour. Sus à lui, mes enfants! Gens de Msilah, sus à lui.

Et par la porte ouverte on entendait les cris aigus des femmes, qui hurlaient toutes à la fois comme une nuée de corneilles en délire:

—Sus à lui! Sus à lui!

Et un grand nègre brandissant un long bâton, criait plus fort que les autres:

—Sus à lui!

XLII

C'était là un bien vieux souvenir, mais la pensée de Mansour s'y arrêtait avec complaisance. Il revoyait la scène comme si elle était d'hier, car son fidèle nègre lui avait tout raconté. Ha! ha! il riait encore en songeant à ce bon tour. Il riait puis soupirait, car il revoyait la douce image. Presque effacée, elle reparaissait peu à peu nette et lumineuse. Meryem! Meryem! La dernière! L'autre, même évoquée, ne revenait plus.

Cent douros! Il avait payé cent douros, la vierge radieuse. Et ce n'était pas trop cher; maintenant encore il voudrait la payer mille; car Lagdar ne lui avait pas menti, elle était bien vierge, autant que l'autre Meryem, avant qu'elle enfantât le prophète Aïssa que les Roumis imbéciles adorent sous le nom tronqué de Jésus! et qu'ils donnent comme fils à Dieu!

Allah est unique. Comment aurait-il un fils?

N'imitez pas les chrétiens insensés et idolâtres qui se courbent devant un morceau de bois, l'adorent, le baisent et disent: «C'est Dieu.» Mais lui, sans être chrétien, était devenu idolâtre, il adorait ses passions sous le nom de Meryem.

Celle-là lui avait fait oublier la première et avait été bien longtemps bénie.

—En avant! En avant, dans la plaine déserte!

Dieu puissant! quelle nuit d'ivresse dans les solitudes profondes, lorsque assez loin pour ne plus redouter de poursuite, il s'était arrêté à la fontaine d'*El-Abiod* et l'avait descendue de sa mule, demi-morte de fatigue et de peur.

Là, à six heures de l'oasis, au pied des trois palmiers que l'on y voit encore veillant sur le frais trésor de ses eaux, à la face des étoiles fuyantes devant les premières lueurs du matin, il s'était enivré de toutes les saveurs du péché, roulé avec elle sur les touffes de diss, l'enveloppant de ses bras, mordant ses tresses noires. Ah! elle avait supplié et pleuré, elle avait comme une fille vaillante défendu de toutes ses forces le bien de Lagdar, mais ses cris et ses pleurs restaient sans écho; vains et stériles, ils se perdaient sur la surface muette des sables.

Elle appelait: «Lagdar! Lagdar!» C'était Mansour qui répondait, et lassée de la lutte inutile, elle s'était livrée au vainqueur. Quand le premier rayon du soleil glissa au-dessus des mamelons mouvants de l'horizon, depuis longtemps la fille du Muezzin s'était tue. Enfourchée sur la selle du maître qui l'avait conquise et pressée contre lui, elle pleurait silencieusement ses amours laissées derrière elle, ses timides amours perdues; épouvantée, mais courbée sous cette destinée fatale qui l'en arrachait pour toujours.

XLIII

Il l'entraîna bien loin et la cacha pendant trois mois dans les cités du Tell, à Batna, puis à Setif, enfin à Constantine. Peut-être avait-elle fini par aimer cet audacieux plein de violences et oublié le doux Lagdar? Du moins, elle n'en parlait plus, elle se faisait à cette vie, et un soir elle annonça qu'elle ressentait dans ses entrailles d'étranges tressaillements. Mansour, à cette nouvelle qui met le cœur des époux en fête et les fait redoubler d'attentions et de caresses pour la femme aimée, Mansour fronça le sourcil.

Et au matin, à la porte de la Brèche, il s'enquit des chameliers qui partaient pour le Souf.

Quelques jours après il fit monter Meryem dans un palanquin et l'escorta à cheval jusqu'à l'entrée du Beled-el-Djerid.

—Retourne à ton père, dit-il, en déposant dans la litière un lourd sac de cuir, voici le prix de ta *sadouka*; et la baisant une dernière fois sur la bouche, il la confia aux chameliers et lui dit adieu.

XLIV

Il est écrit dans le Livre «Ne tuez point vos enfants par crainte de la pauvreté. Le meurtre que vous commettriez serait un péché atroce.»

Mais celui qui abandonne à tous les hasards de la vie l'enfant qu'il a mis aux flancs d'une femme, commet un crime bien plus atroce. Et Mansour n'avait pas la pauvreté pour excuse; mais, comme beaucoup, s'il voulait de l'amour, il ne voulait pas des charges de l'amour.

Il disait: «Les enfants sont oublieux, ingrats et cupides, ils sont pour les parents une source intarissable de déboires et de larmes.»

Puis il secoua le front, n'y pensa plus et se mit en quête d'autres aventures.

Or, une nuit, comme il chevauchait seul dans la plaine de Djenarah pour rendre visite au caid, son frère, un homme, sortit d'un paquet de broussailles, se rua à son côté et le frappant en pleine poitrine, lui cria:

—Je m'appelle Lagdar-ben-El-Arbi.

Aux premières lueurs de l'aube quelques chameliers le trouvèrent couché dans une mare de sang. La mort est une contribution frappée sur nos têtes, mais souvent nous hâtons sa visite. Cependant cette nuit, la collecteuse de taxes de Dieu regarda l'homme étendu et passa outre.

Il s'éveilla dans la maison de son frère. Un *tebib* penché sur sa tête, prononçait les mots qui guérissent, tandis qu'une jeune négresse ramenée par lui du Soudan aidait à la conjuration, en versant sur sa blessure une décoction de fleurs qu'elle avait été cueillir.

Le délire le hanta et il demanda Meryem.

Mais nul ne connaissait la fille du Souf.

Alors il appela: Meryem! Meryem!

—Tais-toi! dit la négresse, il est de belles filles dans le Tell.

Mais il continuait sans l'entendre:

—Meryem! Meryem! pourquoi tes flancs se sont-ils ouverts? Pas d'enfants! Je ne voulais pas d'enfants.

—Ne parle plus, dit la négresse, tes paroles te donnent la fièvre.

Elle passa la main lentement sur son front et sur ses yeux, et il s'endormit en murmurant:

—Meryem!

Depuis qu'il l'avait perdue, le nom de la jeune mère abandonnée était souvent revenu sur ses lèvres, mais il semblait que le coup de poignard de Lagdar eût ravivé ses regrets.

La pensée que son rival possédait cette fille, de son plein gré pourtant renvoyée souillée et la honte au front, lui mordait le cœur et il gémissait sourdement sur sa couche.

—Seigneur, disait la négresse, n'es-tu plus *Sidi-Messaoud*?

—L'heureux! L'heureux! oui tu as raison, noire odalisque. Tes paroles sont douces comme le calme du soir et tu es belle comme la nuit étoilée. Quand je serai fort, je me reposerai sur ton sein d'ébène et j'oublierai celle qui n'est plus.

—Tu es mon seigneur et mon maître, et rien ne te résiste.

Il resta longtemps cloué sur sa couche et bien souvent, quand la fièvre travaillait ses veilles, il répétait le nom chéri de la fille du Muezzin.

Tel avait été son dernier amour. La mort entrevue de si près le fit réfléchir; devenu plus prudent sinon plus sage, enfermé dans son égoïsme de célibataire, il n'acheta désormais que de faciles plaisirs.

Puis il fit le pèlerinage de la Mecque, et, après s'être humilié sur le tombeau du Prophète, il revint sanctifié.

Mais les leçons de l'âge mûr sont sans force dans la vie! Aux premiers ouragans des passions, elles disparaissent comme les nids des oiseaux.

XLV

Et maintenant qu'il y pensait, que son souvenir venait de se reporter à ce drame effacé depuis si longtemps, il revoyait avec amour la radieuse figure de la vierge que, par une nuit d'été, il avait audacieusement volée à son père et à son amant.

C'est une femme comme celle-là qu'il lui fallait; immaculée de corps, pure de pensées, jeune et belle, douce, aimable et docile. Mais où la trouver? Quelle terre bénie contenait ce trésor? Quel toit de poil ou de tuile abritait cette merveille? Quelle natte ou quel tapis foulaient ses pieds nus?

Il chercha longtemps. Il parcourut le Tell et le Beled-el-Djerid. Il visita les douars. Il s'informa dans les villes. Il pourparla avec les matrones. Il n'était plus jeune, mais il était riche, et il s'aperçut bien vite que toutes voulaient spéculer sur lui. Il faillit prendre des filles déflorées, et d'autres souillées par le baiser public; mais la chance, qui, depuis sa jeunesse, s'asseyait à ses côtés et sautait en croupe sur son cheval, resta sa compagne fidèle et le sauva de maintes ridicules aventures.

Et plus le temps passait, plus s'augmentait le nombre de ses poils gris, plus le but devenait douteux et difficile, plus il s'entêtait et disait:

—Je l'aurai.

En vieillissant, nous devenons fous.

Enfin lui vint une pensée de sage:

«Les plus habiles sont trompés. En ces matières, le hasard est le maître. Pourquoi chercher et essayer de choisir? Il arrive que le vrai est le faux et que le faux devient le vrai. La vie est un moulin qui tourne, et la femme une de ces feuilles légères que les hommes du Nord placent sur le toit de leur maison pour savoir d'où vient le vent. Avec elles, demain est la contradiction d'hier. Les filles douces font souvent des épouses acariâtres, les timides se transforment en hardies, les modestes jettent leurs voiles, et les bazars de prostituées sont remplis de vierges d'autrefois. Compter sur la femme, c'est compter sur le nuage qui passe; c'est dire au caméléon: «Ne change pas de couleur.» Insensé est celui qui affirme: «Ma femme fera ceci demain.» Prenons au hasard, mais tâchons de la prendre immaculée.»

Or, pour être certain de ce cas, il n'y avait qu'un moyen, et inutile de se fier aux matrones: il décida qu'il prendrait son épouse au berceau.

C'est ce qu'il fit.

Une belle jeune femme de la grande tribu des Ouled-Nayl, si fertile en beautés, mourut en accouchant d'une fille. Le père venait de tomber, la poitrine en face, aux sanglantes affaires des Babors, et le chagrin, plus que les couches laborieuses, avait tué la jeune mère.

Mansour déclara qu'il adoptait l'enfant. Et les parents, qui s'étaient vus avec ennui chargés d'une orpheline, lui dirent:

—O homme généreux, elle est à toi.

Mollement enveloppée dans des haiks, il l'emporta sur son cheval.

—Oh! s'écria-t-il en la regardant avec des yeux pleins de tendresse, la voici, la voici, ma fiancée! Dans quatorze ans, jour pour jour, je mettrai cette enfant dans ma couche.

Et la main tendue vers l'Orient, il prononça le serment solennel:

—Par le Maître de l'aube! par le Koran glorieux! par la Sainte-Caaba! sur la tête sacrée du Prophète! sur la mémoire des deux femmes que j'ai aimées: Meryem! Meryem! je le jure, je l'épouserai vierge! Et que je sois à jamais maudit si je m'approche d'elle avant l'heure! Et que je sois à jamais maudit si quelque larron d'honneur me vole ma fiancée! Ah! celui-là sera habile! Et je jure sur ma tête que, prosterné devant lui, je baiserai le bas de son burnous et je l'appellerai Seigneur!

DEUXIÈME PARTIE

LA VIERGE

I

Il renvoya serviteurs et servantes et ne garda que la négresse qui jadis avait pansé sa blessure et veillé dans ses nuits de délire. Elle avait alors vingt-cinq ans et lui était dévouée comme le chien au maître; quand il jetait les yeux sur elle, elle était prête à lui baiser les pieds. Elle faisait tout: couscous et galette, confitures et parfums; elle lavait le linge et sellait le cheval. Docile à ses moindres caprices, elle introduisait sans murmure la maîtresse d'une nuit et quand, lassé de la blanche, il voulait goûter aux âcres saveurs de la noire, sur un signe il la trouvait dans sa couche, heureuse et disposée à tout.

Sous les yeux du maître, elle allaita la petite fille et fut sa première nourrice. Et pendant que les joues roses de l'enfant s'appuyaient sur ce sein de cuivre, les mignonnes mains pressant les noires mamelles, Mansour s'asseyait à côté, fumant sa longue pipe au fourneau de terre rouge. Autant que *Mabrouka*, il veilla sur son sommeil, anxieux et inquiet, debout au moindre cri, aussi attentif qu'une mère, et remplaçant une mère, si une mère pouvait se remplacer.

C'était son bonheur qu'il gardait comme on garde un trésor, son bonheur qui grandissait et s'épanouissait sous ses yeux, radieux bouton, fleur de l'avenir.

Et quand l'enfant put se tenir sur ses jambes et trottiner devant lui, les bras en avant, avec de petits éclats de joie, il renvoya chez son frère la négresse qui pleurait, en disant:

— La femme est la corruptrice de la femme.

II

C'est alors qu'il fit bâtir la maison des champs, le *haouch*, comme nous l'appelons, que l'on voit non loin des marais d'*Ain-Chabrou* à une demi-journée de *Djenarah*, la *Perle du Souf*, dont son frère puîné, le fils de sa mère Kradidja, était le caïd.

Il voulait vivre seul, à l'écart des chemins et des hommes, «loin des sultans», le rêve de tout Arabe; loin des envieux, des moqueurs, des curieux et des jaloux, l'aspiration de tout sage. Il voulait surtout préserver la petite fille des contacts impurs des douars et des exemples plus impurs des villes.

Car même avec sa mère et au milieu de ceux qui le veillent, l'enfant surprend les choses qui pour son bien doivent lui être cachées. Un coup d'œil, un mot, un geste suffisent pour déflorer une âme. L'impression reçue s'y grave comme l'empreinte d'un sceau rouge et ne s'efface plus. L'âme s'enferme avec le souvenir, et là germe le mal.

Aussi, expérimenté et devenu prudent, il se traça un plan de conduite: «Cette fleur élevée par moi sera sans souillure, disait-il; pas de larve ne viendra baver sur ce bouton non éclos. Rose de ma vieillesse, elle enveloppera ma dernière heure de lumière et de parfums. Jusqu'à la nuit bénie où je la porterai dans ma couche, elle sera vierge comme celles du Paradis.»

III

Et désormais ses aspirations, ses ambitions, ses désirs autrefois jamais satisfaits, ses passions et ses inquiétudes, s'absorbèrent en cette enfant. La belle petite tête brune semblait avoir chassé de son cœur les pensées sombres et mauvaises. Radieuse lumière, elle effaçait les noires esquisses des regrets du passé.

Rien autour de lui qui pût le distraire, et il l'enveloppait des chaudes effluves de son amour, se disant qu'il saurait bien mettre entre elle et le monde externe une si douce atmosphère de parfums, de caresses et de bien-être, que même grandissant, elle n'aurait pas le désir de regarder au-delà.

Parfois, lorsqu'elle jouait sur le seuil du haouch, il l'appelait, et l'enfant accourait, toute rieuse. Il la prenait sur ses genoux, passait la main sur son front, mesurait la longueur de ses cheveux, se mirait dans ses grands yeux noirs, souriait à ses lèvres, rouges comme des grenades ouvertes, regardait les blanches perles de sa bouche et se plaisait à enfermer dans ses doigts ses petits pieds nus. Il la berçait en chantant quelque vieux refrain du Tell, et l'enfant se sentant aimée, souriait à la vie et s'endormait dans ce tiède édredon de soins et d'amour. Elle jetait la gaîté autour d'elle, comme le soleil jette ses rayons, illuminant tout de sa présence. Quand elle s'éveillait, c'était un ruissellement de joie. La petite maison vibrait de sa gaîté, retentissait de ses rires, s'ensoleillait de ses yeux. Le chien gambadait autour d'elle, les poules caquetaient bruyamment dans ses jambes, le coq battait ses flancs de ses ailes diaprées, lançant dans l'air son chant d'allégresse, les moineaux pépiaient, le merle voisin lui criait: *Salamelek*! *Salamelek*! et jusqu'à la chèvre, sa seconde nourrice, qui accourait de loin en sautant, lorsqu'elle l'appelait de sa voix fraîche: *Maaza*! *Maaza*!

Aux rayonnements de ses grands yeux tout se chauffait et s'épanouissait, et Mansour, le cœur dilaté, sentait qu'alors seulement il méritait son nom d'Heureux.

IV

Derrière et sur les côtés du haouch croissait avec l'enfant un petit jardin entouré d'une haie de figuiers de Barbarie. Le ruisseau qui filtrait au bas de la montagne venait l'arroser en courant, avant de se perdre dans les roseaux du marais. Quelques coups de pioche, des plants et une poignée de semences transformèrent un tas de broussailles en Éden. Des pastèques et des grenades, des oranges et des ceps de vigne, des mûriers et des jujubiers poussaient pêle-mêle au gré des caprices du planteur et la nature luxuriante jeta sur le tout son magique manteau.

Dans ce sol vierge et chaud, en un désordre pittoresque et harmonieux, les fleurs abondaient vigoureuses et parfumées.

Des fleurs, des légumes et des fruits, ils ne demandaient rien de plus. Mais le caïd envoyait de temps à autre du couscous blanc comme du riz et des dattes de Biskara. Quand Mansour voulait un mouton, il faisait prévenir son frère. Alors on choisissait dans le grand troupeau qui paissait dans la vallée au nord de Djenarah.

Parfois, pour distraire l'enfant ou faire quelque achat, il allait à la ville. Il chargeait un des chameliers dont les *mahara* broutaient les touffes de *chiehh* dans la plaine, de surveiller le haouch. Il lui donnait deux *sordis*, une setla pleine de couscous, ou bien la tête d'un mouton, et partait tranquille.

De plus, il s'était procuré trois veilleurs de nuit, de cette bonne race qui mange les hommes, issue de l'accouplement des louves avec les chiens des oasis. Sans crainte du cavalier, ils se jettent au ventre des chevaux, mordent la trique qui les frappe et mettent les rôdeurs en pièces, puis dans les entrailles du larron, ils font large ripaille.

Avec de telles sentinelles, les voleurs de jour pas plus que ceux de nuit n'eussent osé approcher. Ils savaient, du reste, ne trouver là ni douros, ni étoffes précieuses, ni bijoux luxueux. Les douros de Mansour reposaient dans les *fondouks* du caïd, et ses biens, les gras troupeaux, paissaient de l'autre côté du Djebel. Le seul trésor était Afsia; mais sur nos marchés, ce genre de joyau n'a plus de cours.

Il emmenait donc la petite fille, assise devant lui sur la selle de sa jument ou le *berda* de sa mule. Les passants se les montraient en riant et disaient:

— Voilà Sidi-Messaoud et sa fiancée!

Mais il répondait en colère:

— Oui, c'est ma fiancée, et elle sera vierge au matin des noces. Fils de Fathma, pouvez-vous en dire autant des vôtres? Pouvez-vous, enfants du péché, jurer de même de vos filles et de vos sœurs?

Alors ils haussaient les épaules, riant plus fort:

— *Adda maboul!* Il est fou! disaient-ils.

Mais d'autres ajoutaient:

— Le doigt de Dieu s'est posé sur son front. Enfants, ne raillez pas cet homme. Il méritera jusqu'à la mort son surnom d'El-Messaoud.

V

Cependant la fiancée poussait comme un jeune palmier, frêle et délicate d'abord, mais laissant pressentir qu'elle serait savoureuse.

Encore une fois, l'*Heureux* était le bien-nommé; car il eût pu arriver que l'enfant fût laide, mais elle se montrait déjà beauté parfaite; exquise et suave comme les sultanes chantées par nos poètes; belle comme les houris que peignent vos artistes d'Occident.

Ivresse pour le cœur et pour l'œil; tout charmait en elle, depuis l'ongle rose de son petit orteil jusqu'à ses longs cheveux, plus fins que la soie et si noirs qu'ils jetaient des reflets bleus.

Son visage enfantin aux tons chauds et dorés, ses lèvres rouges, la plus délicieuse des coupes d'amour, ses grands yeux rayonnant de clartés, faisaient présager une de ces beautés ruisselantes de sève comme il n'en éclot que sous l'ardent soleil.

Mansour ne pouvait assez en repaître ses regards. Il s'admirait dans son œuvre, fier comme s'il l'eût engendrée. Il aurait rempli un livre aussi gros que le Koran rien qu'à détailler, énumérer, vanter ses charmes, ceux qu'il voyait, ceux qu'il entrevoyait et ceux qu'il ne faisait que deviner.

Était-il père? Était-il amant? Il ne le savait lui-même. Il était tous les deux, et les deux amours se fondaient en un seul, chaste, austère et fort.

Devant cette enfant, il croyait redevenir jeune; il se trouvait tout léger et tout aise; il ne sentait plus ses membres raidis; il ne voyait plus l'écorce rude, l'enveloppe usée qui recouvrait son cœur resté vert.

Toutes ses maîtresses passées, il les retrouvait en elle, mais elle était plus belle que toutes; elle réunissait les beautés éparses chez les autres et qui, une à une, l'avaient séduit. De *Fathma*, elle avait les longs cheveux de soie qui, dénoués, descendaient en chatoyantes cascades, plus bas que les reins; de *Meryem*, la première, les yeux à l'éclat des sabres tirés au soleil; elle avait le pied mignon d'*Embarka* la Saharienne, les formes rondes et chastes de la seconde *Meryem*, le nez aquilin de *Yamina*; ses dents brillaient d'une bleuâtre blancheur comme les dents de *Mabrouka*, et les fines attaches de ses membres lui rappelaient *Aicha*, la danseuse que les jeunes hommes de Biskara ont appelé *la Divine*.

Toute cette nuée d'amour, nimbe de certaines femmes; ces parfums innommés exhalés d'elles, venus on ne sait d'où, de leurs cheveux, de leur sein, des plis de leur robe, enivrant mélange, rose et violette, lait et nard, encens et musc, lis et jasmin, terre et ciel, délicieuses et sauvages âcretés de la brune et voluptueuses suavités de la blonde, odeurs de la femme aimée qui vous suivent dans les rêves et qu'on aspire tout ému au réveil, elle les avait.

Et lui, l'*Heureux*, se repaissait de tout cela.

Il la flairait comme on flaire un fruit savoureux avant d'oser y mordre. Il s'en grisait le cœur et la cervelle, mais sans jamais rien laisser paraître, de crainte d'effaroucher sa native pudeur, ne soupçonnant pas dans sa science du vice, qu'elle était si ignorante que rien n'eût pu l'effaroucher.

Et devant elle, il oubliait les blasphèmes que jadis il avait répété tant de fois au temps où, blasé et repu, ses scandaleuses amours défrayaient les conversations intimes des filles des tribus:

«La femme est fille du mal.

»La femme a inventé le vice.

»La ruse est sortie du front de la femme, le mensonge de sa bouche, la gangrène de ses flancs.

»La plus pure d'entre elles laisse au cœur une plaie et au corps une souillure.

»Insensés, vous cherchez une épouse parfaite, et le Prophète lui-même en les comptant depuis la mère des hommes, n'en a trouvé que quatre.»

Mais il disait à genoux, veillant sur son sommeil:

«La femme, c'est l'ange, la joie, le bien et la vie!»

VI

Dans le frais bocage de son jardin vierge, jacassait une légion ailée de joyeux et bruyants hôtes. Leur ramage la réveillait aussitôt que le soleil glissait ses rayons par le grillage de bois doré de sa petite fenêtre. Et vite, elle se levait et descendait au jardin. Elle y faisait ses ablutions dans le petit ruisseau sous deux ou trois grands saules que Mansour avait plantés, quand elle était toute petite, et qui maintenant étendaient leurs bras chevelus jusque sur le toit du haouch.

Elle s'y mettait à l'ombre sans voile, et sous le feuillage vert, entre le haouch et l'épaisse haie de cactus, dans le fourmillement des lis, des jasmins et des roses, nul œil indiscret n'eût pu l'apercevoir.

D'ailleurs, depuis qu'elle avait grandi, Mansour respectait ses petits secrets de fille, et pendant sa toilette, l'*Oudou-el-Kebir* que le Prophète a prescrit comme acte religieux, sachant bien que la propreté du corps est l'avant-garde de celle de l'âme, et que ceux qui ne se lavent pas ont l'âme aussi sale que les flancs — pendant la grande ablution alors que, nue et rayonnante de sa naissante beauté, elle faisait couler sur ses épaules, ses seins, ses hanches et toutes ses chairs jeunes et fermes, les vivifiants ruissellements de l'onde fraîche, il n'eût pas voulu hasarder un regard. Il eût trop craint d'être surpris par elle, et qu'alors une pensée mauvaise ne vînt déflorer la virginité de ce cœur.

Il la laissait donc seule, plein de respect pour son enfantine chasteté, faisant bonne garde au dehors, certain de la retrouver le jour où il la voudrait, dans tout l'éblouissement de sa beauté immaculée.

VII

Après l'ablution, lorsqu'elle reparaissait sous le haik de laine, il se plaisait à la voir se parer.

Tantôt il lui faisait revêtir le coquet costume des Mauresques d'*El-Bahadja* la guerrière; tantôt il la voulait vêtue comme les filles du Souf. D'autres fois, il l'enveloppait comme celles de Constantine avec le foutah serré sur les hanches, ou la grande *gandourah* tombant aux talons. Mais ce qui lui plaisait le plus, c'était de la voir, avec la simple tunique des nomades du Tell, ouverte sur les côtés, les bras nus jusqu'aux épaules où s'attachaient les boucles d'argent, et, aussi peu habillée qu'une fille puisse l'être, vaquer aux travaux de l'intérieur et aller et venir dans la maison.

Car il savait que l'oisiveté souffle des pensées malsaines, et il voulut, dans ce cercle étroit, ne jamais laisser ses heures vides.

Lorsqu'elle était toute petite, il avait installé près d'elle, les unes après les autres, des filles des tentes et des filles des *Hadars*, et sous ses yeux, sans qu'il les quittât d'une minute, elles apprirent à l'enfant comment on façonne les *gandourah*, comment on tisse les haiks et comme on brode sur la laine blanche les frais dessins de soie. Elle savait encore, dans le grand plat de bois percé de trous, posé sur la chaudière où cuisent les quartiers de viande, préparer l'appétissant couscous, rehaussé de piment, d'œufs durs et de blancs de poulets; elle savait faire les galettes au miel, pétrir le pain d'orge et les gâteaux de dattes.

Et aussi sur la *tarbouka* sonore, elle savait chanter les chansons des douars. Mais il avait soigneusement éloigné les églogues amoureuses. Les hymnes de combat, le chant douloureux sur la perte d'Alger la brillante, composaient seuls le répertoire; et dans cette bouche enfantine, avec la douce mélodie de sa voix, cette poésie guerrière avait un charme indicible.

Mais pendant ces leçons, toujours là, comme une vieille qui guette les amours des jeunes, il ne souffrait pas qu'on lui parlât de choses étrangères. Et un jour une *tofla* des *Beni-Mzab*, qui lui enseignait à mélanger sur la laine les fils d'or et de soie, ayant fredonné devant elle ce refrain des douars:

J'attends mon bien-aimé;
D'amour, son œil fier brille;
Et quand j'entends sa voix
Ou le bruit de ses pas
Ou le hennissement de son cheval,
Que je reconnais entre mille,
Il me semble mourir!

—Mourir! avait demandé Afsia; pourquoi mourir, puisqu'elle attend son bien-aimé?

Devant cette innocence, la Mozabite se mit à rire, mais Mansour irrité ne laissa pas à l'imprudente le temps de répondre.

—Va-t'en, dit-il, destructeuse de vertu, va trouver celui qui t'attend; il doit être impatient, car je l'entends braire près du marais; va, va, il a de quoi te satisfaire!

Aussi, élevée loin des femmes, à l'abri du coudoiement trop souvent impur de petites amies viciées, elle était si chaste que, lorsque pour la première fois elle entendit Mansour vanter orgueilleusement sa virginité aux hommes de Djenarah, elle demanda ce qu'était une vierge.

—C'est une fille que n'a effleurée nulle pensée mauvaise, répondit-il.

—Les femmes de Djenarah ont-elles toutes des pensées mauvaises, que tu as dit aux gens de la ville que leurs filles et leurs sœurs n'étaient pas vierges. Qu'est-ce donc qu'une mauvaise pensée?

—Celle qu'on n'ose avouer sans rougir.

—Alors je n'en ai pas, dit-elle, et je suis vraiment vierge.

VIII

Il souriait; c'était bien la fiancée rêvée: la suave jeune fille, chaste comme le calice du lis qui vient d'éclore au premier baiser du jour, pure comme le *Selsebil*, la source du Paradis.

Aussi, comme il couvait ce délicieux bouton poussant pour lui seul et qui pour lui seul allait s'épanouir! Comme il l'entourait de soins et de surveillance! comme il faisait appel à toute sa vieille expérience d'ancien débauché! comme il connaissait les effets et les causes! comme il pesait le *si* et le *mais*, le *pourquoi* et le *donc*! Vieux chacal, il avait tant de fois rôdé près des poules que, s'il savait comme on les prend, il savait aussi comme on les garde, et ce n'est pas à lui qu'on pouvait rien montrer. Filles de Fathma, vos ruses sont sans égales, mais sans égales aussi étaient sa vigilance, sa prudence et ses précautions.

Son haouch, je l'ai dit, il l'avait bâti loin des chemins, afin d'éviter autant que possible les visites inattendues et importunes, l'arrivée de ces voyageurs fâcheux s'imaginant que tout leur est dû, parce qu'ils viennent hurler devant votre demeure: «Salut, maître de la maison, je suis un hôte de Dieu.» Il avait mis le marais entre lui et la grande route, et il fallait, par de petits sentiers perdus dans les roseaux, faire de longs détours pour atteindre sa porte.

Cependant, s'il arrivait qu'un attardé ou un passant pauvre vînt porter chez lui sa faim, sa soif et sa fatigue, il disait:

—Sois le bienvenu.

Et il faisait bon visage. Il le recevait comme nous autres, musulmans, nous devons recevoir nos hôtes, car le Prophète a donné ces paroles:

«Pieux et béni est celui qui partage sa table et sa couche avec l'orphelin, le pauvre, le voyageur et tous ceux qui ont besoin. Celui-là, Dieu le préservera du mal qui peut tomber du ciel ou sortir de la terre.» Ou encore: «Soyez généreux envers votre hôte, car, en entrant, il vous apporte une bénédiction; en sortant, il emporte vos péchés.» Et encore: «Dieu ne fera jamais de mal à la main qui aura donné» ainsi, qu'il est écrit au chapitre de *la Vache*.

Il faisait taire les chiens et tenait l'étrier, pour aider le voyageur à descendre; s'il était à pied et las, il le prenait par le bras et l'aidait à s'asseoir.

Ce jour-là, il allumait un grand feu, rôtissait un quartier de mouton et tuait deux poules, afin que son hôte fût rassasié et pût dire en partant: «Mon ventre est plein.»

Afsia ne se montrait pas, mais elle préparait un gâteau au miel et l'envoyait à l'étranger.

Quand l'hôte, repu, se couchait près des derniers tisons du foyer, sur les toisons blanches au poil épais des moutons du Haut-Tell, Mansour s'étendait sur une natte d'*alpha*, au travers de la porte de l'escalier de pierre, qui conduisait à la chambre de la jeune fille, et, un œil constamment ouvert, attendait venir le jour.

Et alors, sans avoir demandé ni son nom, ni sa qualité, ni où il allait, ni d'où il venait, il lui présentait son cheval tout sellé, et repu comme le maître, ou, s'il n'avait ni cheval, ni jument, ni mule, son bâton de voyage et sa besace garnie par Afsia, et lui disait:

— Va, avec ma bénédiction.

Mais ces visites étaient rares. Le voisinage de la ville ôtait au voyageur l'envie de se détourner de son chemin et d'aller frapper à ce haouch solitaire; et le nom du caïd son frère, la noblesse de sa famille, l'éclat non encore effacé de son antique bravoure, et, plus que cela, l'auréole de folie qui entourait ce front farouche, attiraient une crainte trop respectueuse, pour qu'on songeât à s'en jouer.

IX

Cependant Afsia grandissait et montait toute brillante dans la vie, tandis que lui se courbait, descendant le chemin. Les enfants nous poussent à la chute finale. Quand nous les voyons fleurir, nous défleurissons, notre sève s'en va, quand la leur monte, et lorsqu'ils sont en fleur, c'est que bientôt nous ne serons plus que le fruit desséché.

Jeunesse d'un côté et vieillesse de l'autre, un vide s'ouvrait entre eux; mais ni l'un ni l'autre ne le mesurait. Lui, sentant son cœur jeune, ne voyait pas le corps usé; elle, inexpérimentée et naïve, ne sentait encore ni son cœur, ni les exigences que la nature nous a logées aux flancs.

Aimante et aimée, elle poussait doucement dans cette paix, ne soupçonnant pas d'autre vie.

Haouch, jardin, saules au bord de la source, le marais et ses roseaux, avec les vapeurs flottantes le matin, et le soir la brume légère, la grande plaine grise, et, au-delà, la légère ondulation des montagnes bleues, c'était sa patrie, ses horizons, son univers.

Elle y vivait indifférente au reste.

Parfois elle se tournait, en rêvant, du côté de la ville, essayant de voir ses vieux murs lézardés, qui s'allongeaient au milieu de la végétation échevelée de l'oasis; elle ne distinguait que la riante nappe verte d'où s'élançait gracieusement le frêle minaret de la mosquée.

Elle avait un secret effroi de ces tas de maisons, de ce fourmillement de gens et de bêtes, de ces hommes et de ces femmes qui, lorsqu'elle passait sur sa mule, enveloppée dans les bras de Mansour, semblaient vouloir la dévisager sous son voile.

Ah! comment pouvait-on respirer et vivre dans cet amoncellement de pierres, ce mélange d'haleines, cet étouffement de poitrines! Comme elle était bien mieux dans sa solitude, libre dans sa maison libre!

Elle y chantait en son âme des poèmes qu'elle n'avait appris dans aucun livre d'homme, par aucune langue de femme, mais que lui soufflait à l'oreille la voix grave des ouragans d'automne, lorsque, rués dans la grande plaine, ils couchaient les roseaux sur le marais et secouaient les burnous des cavaliers galopant au loin, courbés sur l'encolure des buveurs d'air.

Ou bien, quand le ciel est rouge et jaune, elle écoutait venir le simoun et, l'œil noyé de plaisir, les narines dilatées, elle courait au-devant de ses baisers de feu.

Ces symptômes alarmaient Mansour, qui lui criait:

—Pourquoi fais-tu ainsi? les morsures du simoun sont fatales aux jeunes filles.

—Il ne mord pas, il caresse, répondait-elle; c'est bon.

D'autres fois, recueillie et attentive, on eût dit qu'elle attendait. Elle souriait, rêvant peut-être à l'inconnu, qui tout à coup se lève dans les destinées.

—A qui songes-tu? lui demandait le vieillard.

Et elle répondait:

—J'entends là-bas la chanson des oiseaux et j'écoute la caille parler dans le champ d'orge. Toi qui sais tout, apprends-moi ce qu'elle dit.

X

Dans ses grands yeux noirs on lisait le reflet d'une âme où flotte un vague étonnement; ses idées, non encore formulées, nageaient dans les limbes de l'ignorance des choses; ses sentiments ou plutôt ses sensations n'osaient et ne pouvaient éclore et se féconder à côté de cet homme, dont les formidables passions avaient trop tôt mûri le corps.

L'amour des vieux est un foyer sans rayons; il s'émane d'eux une sorte de rigidité et de froideur qui glace et paralyse. Les enfants élevés par les vieillards s'étiolent comme des plantes poussées à l'ombre. Car ils sont l'hiver, et l'épanouissement des jeunes a besoin de chaleur, de force et de virilité.

Comme ces fleurs qui, aux froidures, ferment leurs pétales, Afsia s'enfermait dans ses rêves bleus d'enfant, bâtissant, sans en rien dire, dans sa petite cervelle, quelque brillant autel d'amour, avec la vague intuition des filles les plus ignorantes de ce nom.

Parfois on apercevait, cheminant au fond de la plaine, la longue file d'une caravane. Elle la suivait longtemps du regard, cherchant les hauts palanquins où étaient cachées les filles des nomades, envoyant sa pensée, avec un soupir, à celles qui allaient ainsi à travers les étendues.

Le sang saharien, qui circulait dans ses veines, lui rappelait qu'au-delà de la montagne il y avait les horizons sans limite, et elle eût voulu y courir avec la pensée.

Mais le Thaleb, qui l'observait, ne manquait pas de lui dire:

—O folle entre les folles, tu trouves lourdes ta paix et ta quiétude. Peux-tu envier celles qui, sous le soleil brillant ou les tempêtes des horizons rouges, la gorge sèche et les yeux mangés par les sables, suivent la destinée fatale de leur père et de leur époux. La vie, pour elles, est une incessante lutte; et, toujours loin de leur pain et près de leur soif, elles vont, elles vont enviant le pâtre assis sur le bord du chemin et qui les regarde passer. Pendant des jours sans nombre, elles aspirent au bonheur qui se jette à chaque heure devant toi et que tu oublies de saisir.

—Quel bonheur? demandait Afsia.

—L'ombre, le repos et un ruisseau d'eau fraîche.

Et Afsia ne trouvait rien à répondre. Elle n'avait jamais eu ni faim, ni soif. Elle avait un abri contre les journées trop chaudes et les nuits trop humides, elle ne connaissait pas la douloureuse fatigue, ni les saisissantes angoisses aux approches des périls. Mais elle se disait en elle-même que toute la vie ne devait pas être là, dans le lourd bien-être et dans la quiétude, et que si, hors de là, il y avait des misères et des dangers, il devait y avoir de plus larges joies.

XI

Elle aimait aussi à accompagner du regard les cavaliers des *goums* aux grands chapeaux de paille couverts de plumes d'autruches noires, chevauchant dans la plaine en un désordre majestueux. Elle distinguait à leurs burnous écarlates le caïd et les cheiks qui s'avançaient en tête, les *mokalis* au burnous bleu; les autres tout en blanc, le long fusil haut sur la cuisse, suivant en groupe serré. Quelques-uns galopaient sur les flancs de la troupe, soulevant des flots de poussière jaune. Elle admirait les longues housses de soie flotter au vent, l'ardent reflet des armes, les fanions verts au croissant argenté; elle écoutait les joyeux accents du tam-tam et de la flûte, les bruyants éclats de la poudre, et il lui semblait voir passer une féerie enveloppée dans un nuage d'or.

Mais ce qu'elle préférait, c'étaient les files de cavaliers rouges qui rayaient, deux ou trois fois par an, la large plaine grise. Ceux-là marchaient deux par deux et en ordre. Ils n'avaient ni housse de soie, ni plumes d'autruches; ils étaient uniformément habillés de blanc, de rouge et de bleu. Un sabre au fourreau d'acier, passé sous la cuisse gauche, s'allongeait sur le feutre noir de leur selle, et sur leur dos, le cuivre et l'acier du fusil scintillaient au soleil.

C'était le peloton des spahis de Constantine, qui allait relever le poste avancé de *Zery-bet-el-Oued*.

Elle les suivait longtemps, émue et pensive, prêtant l'oreille comme si elle eût essayé d'entendre le cliquetis des lames dansant dans le fourreau, ou le bruit des éperons et des étriers.

Car c'est ainsi: la femme aime le sabre, dont elle a peur. Créature faible et douce, elle se sent attirée par la force des contrastes vers le sanglant éclat des armes; elle se passionne pour *l'homme qui tue*.

Et Afsia eût bien voulu que le chemin fût plus près du haouch, afin de contempler les faces mâles des soldats.

Elle se rappelait qu'étant plus petite et revenant de Djenarah, assise sur la mule de Mansour, elle s'était croisée avec les cavaliers rouges et l'un d'eux avait dit:

—Oh! l'heureuse rencontre! Enfants! voici la fiancée d'El-Messaoud. On ne voit que ses grands yeux, mais ils brillent comme deux étoiles et sont doux comme une source au milieu des sables. Homme, avec une telle bénédiction sur ta selle, nul ne doit s'étonner qu'on t'aie surnommé l'*Heureux*.

Les spahis attachaient leurs yeux ravis sur elle, et, à mesure qu'ils passaient, disaient à Mansour:

—Homme, salut! Que le Prophète enveloppe la *tofla* d'un manteau de bénédictions.

—Qu'elle soit sur vous et les vôtres, répondait Mansour glorieux.

Ils continuaient leur route en silence. Mais dans tout groupe d'hommes, il en est qui jettent la discorde et la haine, car, comme ils étaient à quelques pas, un de ces maudits se tourna et cria:

—O l'Heureux! garde le bouton de rose jusqu'à ce qu'il soit éclos; alors nous viendrons le cueillir.

Tous s'étaient mis à rire, et Mansour, frémissant de colère, avait répondu:

—Il ne sera pas pour toi, fils de chien, qui sers les chiens.

Et les autres, que cette insulte irritait, répondirent:

—Nous le volerons: nous le volerons à la jolie fille. Il n'est pas fait pour les vieux boucs.

Afsia n'avait rien compris, elle aurait bien voulu savoir ce qu'on menaçait de lui voler; mais Mansour était si furieux qu'elle n'osa le questionner, et quand elle lui en parla un peu plus tard, il lui ordonna brusquement de se taire.

C'était la seule fois qu'il l'avait rudoyée; aussi, quand elle voyait passer au loin les cavaliers rouges, elle se rappelait l'admiration de leurs regards, les propos flatteurs à son adresse, la colère de Mansour et leur moqueuse menace.

XII

Alors, sans savoir pourquoi, elle se sentait triste, et Mansour, pour la distraire, lui contait quelque merveilleuse histoire d'Orient, dont il écartait avec soin la seule chose qui pouvait lui plaire, les belles aventures d'amour.

Aussi, d'une oreille elle écoutait la voix du Thaleb, mais l'autre restait tendue vers le murmure confus et doux qui, depuis quelque temps, parlait à son cœur. Il semblait venir d'une région inconnue, dont ni sa noire nourrice du Soudan, ni Mansour, qui savait tant de choses, ne l'avaient jamais entretenue dans leurs récits de génies, de palais et de mages.

Elle fermait les yeux, abritant ses pensées sous le voile de ses paupières et continuait à écouter, sans les entendre, les paroles du vieillard.

Un spasme nerveux courait dans ses membres, elle étirait les bras au-dessus de sa tête, comme si elle sentait venir le sommeil, et, accablée de lassitude, elle restait de longs moments affaissée, immobile, rêvant éveillée, laissant couler le temps. Et, vers le soir, lorsque la brise du nord frémissait sur ses épaules et ses bras, courant amoureusement le long de ses jambes nues, la fouettant à petits coups, elle recevait ses caresses et secouait l'engourdissement qui l'avait oppressée sous le soleil; elle sentait une étrange ardeur se glisser dans ses veines et soupirait.

— A quoi penses-tu? disait Mansour.

Et, rougissante, comme si elle eût été prise en faute:

— A rien, répondait-elle. C'est ce qui est dans ma tête qui voyage et va je ne sais où.

Elle se sauvait alors dans son petit jardin, et, la tête penchée sur les fleurs, plongeait son regard jusqu'au fond des calices, essayant d'en surprendre les mystérieuses merveilles; éblouie des brillantes couleurs, enivrée des suaves parfums, elle souhaitait d'être petite mouche bleue, pour pénétrer à l'aise dans ces fragiles palais, plus magnifiques que ceux dont le Thaleb lui racontait les magies:

—Tais-toi, lui disait-elle; ce que je vois au fond de mes fleurs est plus beau que tout ce que tu me dis.

XIII

Il avait fixé à quatorze ans l'âge où il devait la prendre pour femme; il voulait attendre cette époque, afin que la jeune fille fût bien formée et prête à lui donner des enfants vigoureux. Quelques-uns d'entre nous prennent à douze ans leurs épouses. C'est un tort. La fille forcée trop jeune est bientôt flétrie et n'enfante que des rejetons malingres et chétifs. Ils conservent dans la vie les pâleurs de la faiblesse de leur mère, et leur âme mal trempée s'émousse au premier choc.

Le Prophète a dit: «Ne décidez des liens du mariage, que quand le temps sera accompli.»

Il ne prescrit pas le temps, mais il le laisse à la sagesse de l'homme. D'ailleurs, nos mères et nos matrones, qui vont chercher la fiancée, voient bien si le bouton est ouvert. Elles savent mieux que nous distinguer l'instant où la rosé n'est pas encore éclose, mais où cependant elle n'est plus le bouton. C'est le moment délicieux où il nous faut prendre nos épouses, et Mansour attendait ce moment.

Il s'en manquait de quelques semaines qu'elle n'ait atteint l'âge, et, devant cet épanouissement de vierge, il se recueillait plein d'admiration, enveloppé de sa double affection de père et d'amant. Peut-être cette dernière était-elle encore vague et s'effaçait-elle devant l'austérité de l'autre.

Certes, si elle lui eût été étrangère, s'il n'avait pas, jour par jour, assisté ravi, à quelque nouvelle et soudaine éclosion de beauté dans cette vierge luxuriante de merveilles, ses sens, usés par tant de frottements, se fussent réveillés avec leur ancienne et furieuse ardeur; mais, l'ayant abritée sous son bras comme un oiseau réfugié sous l'aile maternelle, couvée et élevée dans son nid; et s'étant entendu salué chaque matin à son réveil du doux nom de père qui, de cette bouche rieuse sortait comme une caresse, le vieux débauché, suborneur de tant de filles, eût regardé comme un sacrilège de toucher à celle-là.

L'idée de la posséder avant le mariage ne passait devant lui que comme une monstruosité, et même il se demandait parfois si, le mariage célébré, il ne serait pas honteux de la prendre dans sa couche, et ne rougirait pas, lui, grison lamentable, de souiller de baisers lascifs les lèvres de cette radieuse enfant?

Parfois, lorsqu'elle sommeillait, il s'approchait sans bruit, et, voyant ses seins naissants se soulever sous son léger souffle, il jouissait en silence de sa chaste beauté. Mais c'était l'orgueil de l'artiste qui a créé une œuvre d'art et s'admire dans son œuvre, plutôt que la convoitise de l'amant.

—Elle est à moi, disait-il. Je l'ai élevée, nourrie, vu grandir. J'ai été son père et sa mère, son frère et sa sœur, son maître et son ami. J'ai partagé ses premiers jeux et essuyé ses premières larmes. Ce qu'elle sait, je le lui ai appris; les pensées immaculées qui roulent dans son cerveau, c'est moi qui les y ai mises. J'ai fermé la porte au mal. A moi elle doit sa beauté, sa santé et sa force; car je l'ai laissée se développer à l'aise comme une fleur des champs; je lui ai donné pour seuls compagnons le ciel, les nuages, les étoiles, la plaine, les montagnes, la liberté. Elle est à moi, rien qu'à moi, et elle le sait. Elle sait qu'elle est mon bien, depuis ses noirs cheveux jusqu'à ses ongles roses.

Et il prenait ses petits pieds dans ses longues et dures mains de bronze et, courbé comme s'il eût fait une prière, les baisait.

Parfois la jeune fille s'éveillait sous le souffle chaud de sa bouche, et, le voyant agenouillé près d'elle, elle entr'ouvrait les lèvres pour sourire, puis, refermant les paupières, retournait à ses rêves bleus.

XIV

Un matin, Mansour lui dit:

—Afsia, le jour béni approche. Lorsque tu auras vu quinze fois le coucher du soleil, tu entreras dans ta quinzième année. C'est l'âge que depuis quatorze ans j'ai attendu. J'ai attendu avec patience, car chaque jour ajoutait une pétale à la fleur de ta beauté. Maintenant elle est complète. Le bouton s'épanouit, le moment de le cueillir est venu. Afsia, je veux te dire un grand secret, resté pendant quatorze ans le secret de mon cœur. Je l'y avais enseveli, afin qu'il ne pût mettre une ombre sur la blancheur de tes pensées. Maintenant, le voici. Afsia, ma jeunesse s'est enfuie comme l'eau d'une source qu'a tari le simoun, ne laissant plus que le squelette de son lit, mais j'ai compté sur toi, source pure, pour rafraîchir le lit desséché et combler les bords arides. Afsia, poème de ma vie, j'ai compté sur ton sourire, pour qu'il fasse descendre sur mon vieux cœur, usé et refroidi par l'hiver, tous les rayons du printemps. Afsia, dis-moi si j'ai bien fait?

—Je ne te comprends pas bien, père. Mais si ton cœur a compté sur le mien et ta volonté sur mon obéissance, tous deux ont bien fait.

—Merci, enfant. Je vais expliquer mes paroles. Celui que les hommes du Tell ont nommé *Thaleb*, et ceux du Beled-el-Djerid*Messaoud*, celui que tous appellent *Sidi-el-Hadj*, Mansour-ben-Ahmed, enfin, va te donner le nom d'épouse.... Afsia, le veux-tu?

—Ton épouse, dit-elle étonnée, comment cela se peut-il, puisque je suis ta fille?

—Tu es ma fille d'adoption. Afsia, mais aucun lien du sang ne nous attache. Rien ne s'oppose à ce que tu sois la chair de ma chair, le vêtement de ma vie, le champ fécond où je dois planter ma vigne; rien, que ta volonté; et je viens te le demander: le veux-tu?

—Tes paroles sont encore obscures pour moi, Mansour, et sans doute je suis un peu sotte. Je ne sais pas tout, comme toi; mais voici: S'il te convient que je ne sois plus ta fille et que je devienne ta femme, je le veux bien. Mais pourquoi attendre quinze jours? Puisque tu parais le désirer si ardemment, ne peux-tu m'épouser aujourd'hui?

—Eh quoi! âme de ma vie; le désires-tu donc avec tant d'ardeur, et ton amour serait-il égal au mien?

—L'amour?

—Oui! sentirais-tu remuer ton cœur pour ma vieille barbe grise?

—Oui, je t'aime. N'es-tu pas mon père et ma mère, et toute ma famille?

—Oh! ce n'est pas ainsi qu'un époux veut être aimé; il doit être aimé d'amour.

—D'amour?... Alors tu m'apprendras comment je dois faire. Je t'aimerai comme tu le voudras, et je désire ce que tu veux.

Il prit ses mains et les baisa.

—Blanche fleur de la plaine, dit-il, transporté de joie, ô toi dont le regard est doux comme celui des génisses du Tell, toi dont la vue seule est tout un chant, femme et fleur, ange et houri, je t'enseignerai ce qu'il faudra faire, mais modère ton impatience et attendons le jour béni.

XV

Afsia resta longtemps pensive. Jamais, non, jamais, elle n'avait rêvé une chose si bizarre. Etre l'épouse de Mansour! de cet homme arrivé aux portes de la vieillesse, tandis qu'elle entrait à peine dans la vie! Cela lui semblait bien étrange; mais sa pensée n'allait pas au-delà.

Ce mot d'*épouse* qui trouble tant de jeunes têtes n'avait pas de signification pour elle; et elle se demanda quelle différence apporterait dans sa vie le titre de femme, au lieu de celui de fille du Thaleb.

Il n'y avait au fond de son cœur tout chaud et tout prêt à éclore au feu des tendresses, nul désir comme nul regret, nulle répulsion et nulle crainte. «Je suis bien inexpérimentée pour devenir sa femme, disait-elle, mais il est bon et m'apprendra mes devoirs.» Elle acceptait donc son nouveau rôle, parce que telle était la volonté de Mansour, parce que cela paraissait lui plaire, comme elle eût consenti, pour lui plaire, à changer de robe ou à dénouer ses cheveux.

Ce vague émoi qu'éprouve la vierge des villes, toujours un peu instruite, quoi qu'ait fait sa mère pour la tenir le plus longtemps possible dans cette virginité de corps et de cœur que déflorera tout d'un coup et si brutalement le mari, Afsia ne l'éprouvait pas.

Elle n'éprouvait pas, non plus, la joie amoureuse de la fille des champs, qui, témoin journalier de l'accouplement des bêtes, peut arriver dans le lit de l'époux, chaste de corps, mais jamais de pensée.

Elle était aussi ignorante du mystère qui perpétue les races, que le jour où le Thaleb l'avait prise au ventre de sa mère et emportée roulée dans un haik.

Ainsi, à la veille de cette grande époque des femmes, aucun de ces *djinns* lascifs qui viennent faire pâmer les vierges, roidir leurs seins sous les frissons, n'avait flotté dans ses nuits, et, quand sa pensée s'en allait au pays du rêve, l'ange Asraël eût pu l'y suivre.

Et l'heureux Mansour, près de son but, pouvait dire avec orgueil:

—Elle est vierge, la perle de Djenarah; son œil limpide est comme l'aumône, il ferme les portes du mal.... Elle est vierge, la fiancée de Sidi-Messaoud, son ventre est aussi pur que la source qui sort de la roche, aussi pur que sa pensée. J'en jure:

Par Dieu le puissant;
Par la tête du prophète de Dieu;
Par le serment de Brahim, le chéri de Dieu;
Par le Koran, le vrai livre.

Aucun autre que moi n'a vu sa face et nul regard n'a souillé sa pudeur!

XVI

Il décida que les noces se feraient à la ville, où désormais il habiterait. Son temps d'épreuve était fini. Cette enfant avait retrempé son âme et effacé de son passé toutes les souillures. Une vie nouvelle allait s'ouvrir.

Les vieillards ne doutent de rien, plus que les jeunes, ils font des projets, et tout le passé qu'ils ont laissé derrière, ils croient l'avoir devant eux. Les uns entassent des écus, les autres bâtissent des maisons coûteuses, d'autres plantent de jeunes palmiers. Ne croyez pas que c'est pour leur fils! ils le disent, mais telle n'est pas leur pensée secrète; ils travaillent pour eux, ils veulent encore jouir. Ils ne voient pas la mort à leur côté, la main levée sur leur nuque, et qui, au moment où ils vont étendre le bras pour saisir le fruit qu'ils convoitent et ont tant de peine à faire mûrir, va clouer leur bouche à jamais.

Mansour avait juré à lui et aux autres d'épouser une vierge. Voilà bientôt son but atteint, encore quelques jours et les premières jouissances satisfaites, il va peut-être se demander s'il ne poursuivra pas d'autre but.

Il avait fait acheter par son frère une maison digne de la perle qu'il voulait enchasser, avec jardin et cour intérieure, et des orangers qui l'emplissaient de parfums. La porte faite de chêne massif, coupé dans les forêts de la Kabylie orientale, était garnie de clous à large tête forgés par les ouvriers de Flissa.

Une seule fenêtre s'ouvrait sur la rue et il comptait la faire murer le second jour du mariage.

Sûr désormais de son trésor, n'ayant plus la garde difficile d'une virginité, mais celle plus aisée d'une femme sage et soumise, il pourrait reprendre sa vie d'autrefois! Il y songeait, le vieillard! mais, jusqu'à la fin nous faisons des rêves; et nous avons raison, le rêve habille la vie. Malheur à l'insensé qui, se croyant sage, arrache d'une main brutale le frêle et léger tissu. Il se dépouille du seul manteau qui nous empêche de sentir les morsures du temps.

XVII

Il voulait un festin dont on se souviendrait, où toute la ville serait
conviée: cent moutons, vingt charges de couscous et vingt charges
de dattes. Jeunes et vieux, riches et pauvres, gens des douars, gens
de la ville, étrangers et passants, auraient place à la ripaille. Tous les
fusils l'acclameraient et le caïd fournirait la poudre.

Par Allah! on en parlerait longtemps dans les Ksours, et dans le
Beled-el-Djerid, et dans le Tell. Il restait des vieux d'autrefois, de
ceux dont il avait jadis pris les femmes, les soeurs ou les filles, et
ceux-là surtout, il voulait les voir assis au banquet. Ils ignoraient ou
feignaient d'ignorer, mais, s'ils avaient des doutes, ils se vengeaient
par leurs sarcasmes, de ce mal qui ronge si fort, et que ce passant
maudit leur avait jeté, comme une vieille haineuse jette le malheur.

C'étaient là ses ennemis *intimes*; n'avait-il pas fouillé au plus profond
de leur intimité, pour y mettre sa semence de ruine? Mais loin de les
craindre, le valeureux d'autrefois les laissait depuis quatorze ans
baver sur lui leurs injures.

Il n'était pour eux ni le thaleb, ni l'heureux, ni le brave, il était
Mansour le fou.

D'autres encore poussaient plus loin les rancunes: ils prétendaient
que le vieux libertin avait pris la petite Afsia pour la souiller plus à
son aise, à un âge où l'enfant n'a pas encore perdu ses premières
dents, et ne la cachait si bien que pour que nul ne pût découvrir sur
son visage flétri les traces révélatrices des débauches précoces.

Enfin, on avait tant ri de lui, on l'avait tant calomnié, qu'il voulait
donner à son triomphe le plus retentissant éclat.

XVIII

Il dut se rendre à Djenarah huit jours avant la noce, cédant à un caprice de l'enfant curieuse de voir sa demeure nouvelle; de plus, il avait besoin de surveiller les derniers apprêts. Comme autrefois, il l'assit devant lui sur sa mule, plus soigneusement que jamais enveloppée de son haik et ne montrant que la ligne noire et profonde de ses grands yeux.

La petite sauvage, qui ne connaissait que son haouch de pierre et de plâtre, fut émerveillée de la splendeur de cette maison digne du harem d'un *bach-agha*. Tout le luxe arabe, venu à grand frais des bazars de Tunis et de Constantine, s'y étalait avec ses chatoyantes miroiteries.

L'ancien marchand jetait là une partie de sa fortune. Encadrer l'idole! il ne pouvait trouver de meilleur placement.

Ainsi, j'ai ouï dire, font chez vous de vieux débauchés ou des fils de joie, pour des courtisanes sans beauté et sans jeunesse; mais le musulman est de cent coudées au-dessus du chrétien.

Il lui présenta ses servantes: trois jeunes filles du pays de *Souab*, et la négresse qui avait été sa nourrice et qui, pleurant et riant à la fois, baisa les mains et les pieds de cette douce merveille. Il lui montra la chambre préparée pour recevoir la vierge; elle s'ouvrait dans la galerie du premier étage, déjà tout imprégnée des parfums des sérails. Ses petits pieds disparaissaient sous la toison épaisse des riches tapis de Tunis, et, s'étant assise, elle resta enfouie dans les brillants coussins de soie. De grands lis, dans des pots de terre rouge et bleue, balançaient leur tête gracieuse, et, à la petite fenêtre dorée, des poignées de fleurs des oasis descendaient en girandoles.

C'est là, qu'après la défaite, une matrone devait, suivant la coutume, à la foule impatiente, exposer triomphalement, sur le drap étendu, les preuves irrécusables de la virginité.

XIX

Or, au moment où ils entraient en ville par la porte de Biskara, un cavalier portant le burnous rouge des spahis se trouva sur leur chemin. Il suivait le milieu de la voie, monté sur un cheval nu, qu'il allait faire boire à la petite rivière qui arrose les jardins. A cet endroit la rue est étroite, disposition qui facilite la défense en cas d'attaque, et les maisons à terrasse, basses et serrées, permettent à peine à trois cavaliers de passer de front. Aussi le *thaleb* rangea un peu sa mule et, comme l'autre passait, leurs regards se croisèrent. Ce regard laissa le *thaleb* rêveur: mais le spahis insoucieux continua son chemin, et, tandis qu'il sortait par la haute porte, flanquée de tours, il entendit des voix qui disaient:

—Holà, hommes! Voilà Sidi-Messaoud et sa fiancée!

Ces mots l'intriguèrent, et, touchant du doigt l'épaule d'un passant qui suivait Mansour de l'œil:

—Ami, dit-il, quel est ce cheik à barbe grise, qui, contre les usages, porte devant lui sa fiancée sur le *berda* de sa mule?

—Tu es étranger, répondit le passant, car tu le connaîtrais.

—Tu l'as dit, homme, je suis étranger dans la ville.

—Il est bien connu dans le *Beled-el-Djerid* et le sud du *Tell*, et depuis bientôt quinze ans on parle de lui dans Djenarah la Perle. C'est le frère du caïd *Brahim-ben-Ahmed*. Il s'appelle Mansour, mais on le nomme *El-Messaoud*, parce que tout lui réussit, et le voilà, vieux grison, qui garde la virginité de sa future épouse.

Le cavalier sourit:

—Oh! oh! la bonne histoire! il n'est virginité si bien gardée qui, à la fin ne se sauve. Ami, le pucelage des filles, c'est comme un jour heureux, il est déjà au diable quand on croit le tenir. Ce bouc amoureux ne serait-il pas semblable au chaouch qui fit longtemps bonne garde autour de la prison, alors que le prisonnier s'était enfui?

—Le prisonnier y est encore, répondit l'autre en riant, s'il faut s'en rapporter au dire, mais bientôt il n'y sera plus.

—Les noces sont prochaines?

—Dans huit jours, mon fils. La ville entière est conviée. On parle de cent moutons rôtis à un douro la pièce! Et il y aura plus de trois cents fusils. Si tu n'as rien à faire, tu peux rester jusque-là.

—Peut-être. Cela en vaut la peine. Homme, merci.

Et il continua son chemin jusqu'à la rivière. Lui aussi était devenu pensif:

—Mansour-ben-Ahmed l'Heureux! murmurait-il; sur la tête du Prophète, c'est là le nom que ma mère a maudit!

Il resta longtemps sous les arbres touffus, qui penchent sur l'eau fraîche leurs vigoureuses ramures, lava avec soin son cheval, le ramena à l'écurie et lui donna l'orge. Puis il revint s'asseoir à la porte du *caouadji* de la rue de Biskara et se fit servir une tasse de café.

Comme il buvait lentement et à petites gorgées, l'œil perdu dans le vide, il entendit le pas d'une mule, et vit Mansour et Afsia qui sortaient de la ville.

XX

Instinctivement il se leva pour examiner la face du vieillard, mais devant le regard clair et froid de Mansour, il baissa les yeux, honteux de ce mouvement de curiosité malséante, et, mettant la main sur son cœur, il dit à haute voix:

—*Salamalek oum*!

—Sur toi, soit le salut, répliqua Mansour; et il passa outre.

Debout, au milieu de la rue, le spahis le regardait pendant qu'il s'engageait sous la longue voûte de la porte du ksour, lorsqu'une main se posa familièrement sur son épaule:

—Omar, que fais-tu là?

Celui qui l'interpellait était un homme de quarante-cinq ans, gros et fleuri, et vêtu comme le sont les marchands riches.

—C'est toi, mon hôte, répondit le spahis; je suis heureux de te trouver. Quel est donc ce bonhomme que tu vois là-bas portant accrochée devant lui cette incomparable pucelle?

—Il s'appelle Mansour-ben-Ahmed... répondit l'autre lentement, et on le surnomme l'*Heureux*.

—Et il garde la virginité de sa fiancée. Je le sais depuis deux heures; mais c'est tout!

—Et tu veux en apprendre davantage. Tu as raison, Omar, car il se peut que l'histoire de cet homme soit mêlée à la tienne, à la mienne, comme elle est mêlée à celle de beaucoup de gens d'ici. Il se pourrait que ce soit pour cela que je t'ai écrit de me rejoindre.

—Sur la tête de mon père, qui m'a laissé comme un chien errant dans le monde, sur la tête sacrée de ma mère, morte avec la honte au front et la malédiction à la bouche, tes paroles font poindre d'étranges lueurs en ma cervelle. Parle, Lagdar, fils d'El-Arbi, explique-toi.

Alors le marchand prit le bras du spahis:

—Viens donc, dit-il.

XXI

A quelques jours de là, le vent du Sud soufflait dans la plaine, l'enveloppant d'une poussière rouge qui mordait la gorge comme la poudre du *kari*. Rien ne bougeait, bêtes et gens avaient cherché un abri contre les brûlures du simoun. Les chameaux accroupis, le cou allongé sur le sable, respiraient bruyamment, tandis que les chameliers, la tête enfouie sous un pan de burnous en guenilles, cherchaient un peu d'ombre derrière les hautes bosses, ou s'étendaient à demi suffoqués sous quelque maigre touffe de chiech ou d'alpha.

Mansour avait fait la nuit dans les chambres du haouch en tendant des *frechias* sur toutes les ouvertures d'où la lumière pouvait filtrer. Un seul rayon eût rempli la maison de clarté et de moustiques. Mais tout était bien noir et bien clos, et des gargoulettes suantes se balançaient aux cordes, répandant un peu de leur fraîcheur.

L'homme et l'enfant dormaient sur les nattes de ce lourd sommeil du jour qui met du plomb sur les paupières et couvre les membres de chaînes d'acier, lorsque les chiens firent entendre un sourd grognement.

Mansour se réveilla et ouvrit brusquement la porte. La veille, à la même heure, ils avaient poussé des aboiements furieux. Il se le rappelait, et, promenant son regard autour de lui, cria de sa voix forte:

—O hommes, si vous avez besoin de boire ou de manger, approchez la face haute, mais si vous n'êtes que des rôdeurs et que vous tourniez autour de moi, je vous le dis ici: vous tournez autour de votre mort.

Il regarda longtemps et écouta, mais il n'aperçut que la chèvre et son chevreau, revenant du côté des marais d'Ain-Chabrou, et n'entendit que la grande clameur du simoun.

XXII

Les ardentes teintes de cuivre dont se pare l'Occident après le passage du vent du désert, rougissaient le ciel au-dessus des montagnes bleuâtres, lorsqu'Afsia descendit de sa chambre.

Elle avait les yeux fatigués et lourds, et éprouvait le malaise de ceux qui ont trop dormi; elle s'agenouilla nonchalamment sur le tapis et, pendant qu'elle tressait, devant une petite glace encadrée de cuivre, ses longues nattes défaites par le sommeil, continuant à demi un rêve commencé, le thaleb l'examinait en souriant.

Elle surprit ce regard et rougit. Ses seins étaient découverts et elle venait de s'apercevoir que sur eux s'arrêtaient les regards de Mansour. Bien des fois, cependant, il les avait, sans qu'elle y prît garde, enveloppés ainsi d'idéales caresses, mais le sentiment de la pudeur semblait lui être venu tout à coup, car elle ramena rapidement sa *gandourah* sur sa poitrine, et dit du ton boudeur d'un enfant gâté:

—Je n'aime pas que tu me voies quand je m'habille.

—Le mari, répondît Mansour, a le droit de tout voir.

—Tu n'es pas encore mon mari, fit-elle.

Il pensa que cette petite fille avait raison de le rappeler aux bienséances et, pour la laisser finir en toute liberté sa toilette, il alla s'asseoir au dehors et promena son œil de vautour sur tous les points de la plaine.

Tout s'éveillait comme au lever de l'aurore, mais avec un mouvement silencieux et lent. Les chiens encore assoupis se vautraient sur le sable, et la chèvre d'Afsia broutait avec son chevreau les jeunes pousses de cactus qui perçaient le sol pierreux auprès de la haie vive, tandis que dans le jardin on entendait les battements d'ailes des petits oiseaux.

A l'horizon, le disque du soleil descendait dans un bain d'or en fusion, et, avec la brise, arrivaient les accents lointains de la voix du Muezzin qui, du haut de la mosquée de Djenarah, criait aux quatre points du monde:

— Allah Kebir! Allah Kebir!

XXIII

C'est le moment où les plantes exhalent leurs plus pénétrantes senteurs. Comme des vierges amoureuses que la chaleur a oppressées et qui, à la chute du jour, veulent dilater leurs poumons et soulagent leur poitrine par de longs et profonds soupirs, les rosés, les lis et les hyacinthes, toutes les fleurs aimées d'Afsia, envoyèrent jusque dans le haouch la plus pure essence de leurs parfums.

Elles semblaient l'appeler et dire à ses sens: «Viens, viens!» Et Afsia, fraîche et légère et parfumée comme elles, alla s'asseoir au milieu de ses sœurs.

Il n'y avait ni chemin tracé, ni plates-bandes, ni lignes droites, ni parterres artistement dessinés, mais un ruissellement de fleurs et un ruissellement de verdure. Les semences jetées par le Thaleb s'étaient mêlées à d'autres venues on ne sait d'où, confondues, entrelacées, mariées. La nature, l'inimitable et puissant maître inondait ce petit coin de terre vierge de ses caprices et de ses magies.

J'ai dit qu'Afsia allait s'y blottir, lorsque sa pensée, emportée par les nuages d'or, voulait voyager dans l'azur.

Enfouie dans ses fleurs, imprégnée de leurs parfums, grisée de leur éclat, elle écoutait le petit ruisseau jaboter en courant, les insectes bruire, les oiseaux chanter, et, allongée sous les larges feuilles des bananes, les yeux noyés dans l'extase, elle rêvait à ces jardins que le Prophète promet aux élus et dont elle était la houri.

Or, comme elle venait de s'asseoir, le chevreau vint gambader près d'elle, et la chèvre lui caressa la face de sa barbe pointue. C'était l'heure où elle prenait le lait, et elle cria au Thaleb de lui jeter une setla pour qu'elle pût l'emplir.

Elle passait ses doigts sous les longues mamelles gonflées, pressant et tirant à petits coups les grands pis chauds et raidis, lorsqu'elle poussa une exclamation.

—Qu'est-ce? demanda l'autre, assis sur le seuil du haouch, et égrenant son chapelet d'ivoire.

Elle réfléchit un instant et répondit:

—Rien... c'est Maaza qui marche sur mon pied.

Mais Maaza, calme et immobile, ne s'était pas rendue coupable de ce dont on l'accusait. Docile et patiente, elle attendait que les mains de sa jeune maîtresse eussent repris la besogne, tandis que la vierge du haouch, immobile aussi, mais le cœur agité, venait, pour la première fois, de mentir.

XXIV

Elle venait de mentir, d'instinct, sans savoir pourquoi, sans que personne lui eut jamais enseigné le mensonge. Elle avait menti, parce qu'elle était femme et faible, et que le mensonge est le refuge des faibles.

Aux cornes de la chèvre, dans les blanches touffes de poil, un petit morceau de carton, large comme un doigt d'enfant, se balançait à un cordon de soie, et sur ce carton était écrit ce mot:

—*Naabek*! je t'aime.

Elle avait d'abord poussé un cri de surprise, mais en lisant le mot magique, s'était ravisée et avait menti. Aimer! ce devait être mal, puisqu'on se cachait pour le lui dire; et puisque c'était mal, elle devait, elle aussi, le cacher.

Et elle se rappela une question jadis faite au Thaleb, et lui, qui savait tout, n'y avait pas répondu.

—Qu'est-ce que l'amour?

Mais à ce mot: «je t'aime», la femme s'éveillait.

Cachant le talisman entre ses seins et, affectant un air tranquille, elle se leva et alla présenter la *setla* pleine de lait à Mansour. Mais, saisie de trouble, elle jetait à la dérobée un regard effrayé autour d'elle, se disant que quelque part, caché dans les cactus du jardin ou les roseaux du marais, un inconnu l'observait. Sensation si forte, qu'elle en était presque douloureuse, et l'enfant porta la main à son cœur, battant sous sa dure mamelle un *tam-tam* précipité.

Si elle avait eu son haik, elle l'eût ramené sur son visage, tant elle était émue de se sentir ainsi déflorée par un regard curieux. Ce trouble n'eût pas échappé à une mère, mais un père, même un amant, ne pouvait rien voir, et le Thaleb ne vit rien.

Elle n'osa retourner au jardin et courut se réfugier dans sa chambre, pour être seule avec elle-même et écouter ce que disaient les battements de son cœur.

C'était un étonnement, une joie troublée, une crainte mêlée de plaisir.

Qui était-il? Où se cachait-il? Était-il jeune? Était-il beau? Etait-ce le fils d'un émir ou d'un bach-agha? Comment l'aimait-il? Où l'avait-il vue? Comment avait-il pu attacher ce charme aux cornes de la chèvre?

Et elle regardait timidement à travers la petite fenêtre grillée, vers les marais d'Ain-Chabrou, curieuse, anxieuse, épouvantée, s'attendant à voir se dresser tout à coup une tête d'homme au-dessus des roseaux.

Elle regarda, longtemps, jusqu'à ce que la nuit fut venue, mais elle ne vit rien que la grande ligne sombre qui tranchait crument sur la plaine grise, dans les lueurs du couchant.

XXV

Le lendemain, à l'heure où la campagne se baigne dans les molles clartés de l'aube, où les touffes vertes des coteaux frissonnent aux premiers baisers de la brise, à l'heure claire où l'alouette s'élève en chantant dans le ciel, le spahis Omar se glissait dans les roseaux du marais d'Ain-Chabrou.

Là, il attendit. Il avait la patience, qui vaut la force, et l'opiniâtreté qui fait la réussite. C'était un homme plein de ressources. Il savait chercher les lignes à travers les routes barrées. Il ne disait pas: «Arrêtons-nous, voici l'obstacle.» Il ne disait pas: «Sautons par-dessus l'obstacle.» Silencieux, il le tournait.

Dès son enfance, il s'était heurté aux hommes, et de ces heurts, avait conservé des meurtrissures. Il avait dit en grandissant: «Je meurtrirai à mon tour.» On ne lui connaissait pas de père, et il s'appelait Omar; mais lorsqu'il vint s'offrir à *Dar-el-Bey*, à l'escadron des spahis de Constantine, il présenta un cheval de prix de la race des *Bou-Ghareb* et de bons certificats des Bureaux arabes. Aussi il avait été incorporé sur-le-champ, et lorsque le fourrier qui inscrivait son nom lui demanda: «Omar, fils de qui?» il répondit fièrement:*Bou-Skin*, père du sabre.

Tous les scribes avaient en riant levé la tête; mais devant son œil clair et hardi, les rires s'arrêtèrent, et le *marchef* dit froidement: «Inscrivez Omar-bou-Skin.»

Il était, à la vérité, sans peur, s'il n'était pas sans reproche; il le prouva, en rougissant de sang musulman le sabre que lui confièrent les Roumis. Il fut fidèle dans sa trahison et brave dans sa lâcheté. Chacun doit vivre. Pour vivre, il faut des douros, et ce sont les Roumis qui les vendent. Dieu seul connaît ses voies. On l'a payé par des grades, et, bien qu'il ne fût qu'un bâtard, tous le tinrent de race noble.

Donc, caché dans les roseaux, le plus près possible du haouch, il attendait patiemment. Il agissait avec prudence, il avait tâté le terrain la veille, et, incertain de la réussite, il se demandait ce qui allait arriver. Bientôt la porte s'ouvrit, et il vit paraître la blanche silhouette d'Afsia. Il ne distinguait pas les traits, mais il devinait la délicatesse des formes, et admirait la grâce des mouvements. Il lui sembla qu'elle regardait du côté des roseaux, mais Mansour se montra et elle s'enfonça dans son petit jardin.

—Elle n'a rien dit, murmura Omar, en voyant le thaleb s'accroupir tranquillement à sa porte.

Il avait bien prévu qu'elle resterait silencieuse, que, sans connaître le mal, elle aurait la secrète intuition que ce mot d'amour, que la chèvre lui avait apporté la veille, était le mal, et, en fille de Fathma, elle voudrait y goûter.

Il resta de longues heures, immobile, étudiant les lieux, comme un chef de goums, près d'un douar qu'il veut raser; il guetta les allées et venues du haouch, les chiens et surtout la chèvre. Elle vint brouter les touffes de thym, près des roseaux; il la saisit, comme la veille, et lui attacha aux cornes un second «je t'aime» qu'il tenait tout prêt.

Ainsi que les éclaireurs qui tâtent le camp ennemi en envoyant une balle perdue sur les grand'gardes, il essayait un second coup sur le cœur d'Afsia, puis, regagnant en rampant la route, il rentra, à l'heure de la sieste, à Djenarah où, dans une alcôve tendue de *frechias* de Tunis, l'attendait, impatiente et toute parfumée de musc, une brune courtisane des Ouled-Nayl.

XXVI

Le second billet, comme le premier, parvint à son adresse; comme le premier, le second coup porta. Afsia y pensa la nuit et le jour.

C'était comme un poids de bonheur sur sa poitrine. Elle se sentait heureuse et fière. On l'aimait. On l'aimait! Et tout oppressée de l'ivresse débordante, elle avait besoin de soulager son cœur, qui battait plus vite.

On l'aimait. On l'aimait! Et elle sentait ses yeux humides, et des larmes, qui lui faisaient du bien, coulaient lentement sur ses joues, et elle remontait vingt fois dans sa chambre ou se cachait dans les plus épais fouillis de son oasis, pour lire et relire, et tourner dans ses doigts, les deux petits morceaux de carton ensorcelés de ce mot magique: «Je t'aime.»

Elle ne se lassait pas de le répéter. Il sortait de ses lèvres comme une caresse, et chaque fois elle eût voulu donner un baiser. Elle le prononçait en dedans, puis à demi-voix, et elle s'écoutait le prononcer, tout étonnée de l'effet qu'il produisait sur elle. «Je t'aime! Je t'aime!» sensation délicieuse, mêlée de crainte et de frissons. Et les paroles de la *tofla* des Beni-M'zab, que son *père* chassa jadis, parce qu'elle les chantait devant elle, lui revenaient distinctes et fraîches en la mémoire:

J'attends mon bien-aimé;
Son œil brille d'amour! Et quand
j'entends sa voix
Ou le bruit de ses pas
Ou le hennissement de son
cheval,
Que je reconnais entre mille,
Il me semble mourir!

Celui-là donc serait son bien-aimé, qui lui écrivait ce doux mot: «Je t'aime!» Un bien-aimé! Elle n'avait qu'un sens vague du mot, et elle ignorait l'homme; mais elle sentait qu'elle l'aimerait avec ardeur. C'était l'inconnu, la joie inconnue, la vie inconnue, le sixième sens vierge, qui s'ouvrait comme un calice de fleur au chaud soleil de la passion, quelque chose de meilleur que la coupe de lait frais dans la grande soif, que le bain sous les saules aux heures où souffle le simoun.

Un bien-aimé! qu'est-ce que cela pouvait être? Elle ne le savait pas; elle n'avait été à nulle école où elle eût pu l'apprendre; nulle petite amie ne lui avait soufflé à l'oreille le venin des mauvaises pensées; nul homme ne lui avait mis au cœur la souillure des mauvais désirs; pas de servante qui lui ait glissé de ces mots qui étonnent et qu'on ne comprend pas la première fois, mais qui font rougir la seconde. Vierge d'âme, de corps, de pensée, des yeux et des lèvres, elle répétait cependant tout bas:

J'attends mon bien-aimé.

XXVII

Et le troisième jour, toute tremblante, elle appela la chèvre. Son cœur battait bien fort, et à mesure que la chèvre approchait, capricieuse et indocile, s'arrêtant à chaque pas pour brouter de jeunes pousses de diss, elle distinguait avec émoi et épouvante le petit billet accroché à l'une des cornes. Ah! si le thaleb allait le découvrir! Et elle se jeta au-devant d'elle, le lui arracha bien vite en rompant le fil de soie, et l'enfouit dans sa cachette habituelle.

Ce n'était plus un morceau de carton avec ce seul mot «Naabek»; mais un papier plié, un billet, un vrai billet: que pouvait-il contenir? Elle mourait d'impatience de le savoir, mais elle attendit longtemps avant d'oser le lire, et, à la place où il touchait ses seins, il lui semblait sentir un fer rouge. Deux ou trois fois, elle faillit dire à Mansour:

—Regarde, Thaleb, ce que j'ai trouvé aux cornes de Maaza.

Mais Mansour aurait répondu:

—Pourquoi as-tu attendu pour me le montrer?

Et il aurait fait peser sur elle son œil scrutateur, son œil qui voyait tout, savait tout, excepté que, depuis trois jours, elle commettait une action mauvaise.

—Car c'est bien une mauvaise action, disait-elle, puisque je n'ose l'avouer; et voilà que, comme les femmes de Djenarah, je cache mes pensées et que, peut-être, je ne suis plus vierge.

Et, lorsqu'après le repas du soir, le thaleb eut barricadé la porte et se fut étendu au travers sur son tapis de laine, quand, réfugiée dans sa chambre elle se fut assurée qu'il dormait, elle alluma sa lampe et tira en tremblant le billet de son sein.

Toute pâle elle déchiffrait les brûlantes paroles, et, avec les mots qu'elle lisait, une sensation nouvelle filtrait par ses yeux, jusqu'au fond de son cœur.

«O douce gazelle, avait écrit Omar, ton regard m'a blessé comme un coup de cimeterre. Mon cœur est tout saignant. Je vais mourir, si tu ne me guéris pas.»

—Le guérir? Comment? se demanda Afsia, tremblante; mais aussitôt s'offrait le remède.

«Si tu ne veux pas que je meure, demain, à l'heure où le soleil touchera la cime du Djebel, tu te tourneras vers l'Occident et tu agiteras ton haik. Je t'aime!»

—Pauvre garçon, se dit Afsia. Ce qu'il demande est bien facile! Eh quoi, faut-il si peu pour guérir!

XXVIII

Elle ne dormit guère. Toute la nuit elle dessina, en de gracieuses lignes d'azur sur le fond d'or de ses rêves, l'image de cet inconnu, blessé par elle à en mourir.

Où donc l'avait-il vue? Et si, lui, l'avait vue, elle aussi avait pu le voir. Et elle cherchait à se rappeler les visages de tous ceux sur lesquels, pendant son dernier voyage à Djenarah, s'était arrêté son regard; mais elle ne se souvenait que d'indifférents, de figures curieuses ou hostiles. Rien, rien ne lui remuait le cœur. Et cependant ses yeux avaient fait des ravages. Un homme était là qui voulait mourir. Mourir, pour l'avoir vue. Allah! Allah! cela ne pouvait être; demain, il le fallait, elle agiterait son haik!

Les vieillards, non plus, ne dorment guère. Le sommeil est un parent de la mort, il empiète sur la vie et lui vole bien des heures, et les vieux, à mesure qu'ils approchent de l'ombre, arrachent, autant qu'ils le peuvent, les instants à la nuit.

Et au matin, Mansour dit à la jeune fille, en remarquant ses yeux battus et fatigués par la longue insomnie:

—Qu'avais-tu donc à te remuer de la sorte?

—Rien, père, répondit-elle, rougissante, comme s'il surprenait ses secrètes pensées, ce sont les moustiques qui m'ont empêchée de dormir.

Mais lui, expérimenté et méfiant, répliqua:

—Le tentateur Eblis le lapidé prend quelquefois la forme d'un moustique pour harceler et troubler les jeunes cervelles. Il tient les pucelles éveillées aux heures noires, et leur entr'ouvre la porte du mal. O Afsia, rose de ma vie, prunelle de mes yeux, foyer de mon cœur, prends garde que ta pensée, arrêtée sur le seuil maudit, ne le franchisse et ne passe outre.

Puis, comptant sur ses doigts:

—Encore trois fois douze heures, et la fiancée d'El-Messaoud sera la femme d'El-Messaoud.

XXIX

Omar, caché dans les joncs, attendait le résultat. Il savait qu'il viendrait de lui-même et qu'il n'avait qu'à laisser faire le destin.

Étendu sur le dos, il regarda le soleil descendre lentement vers le Djebel, empourprant l'Occident de ses teintes ardentes. Dans la plaine, au loin, de grands chameaux roux broutaient les blancs bouquets d'alpha et les vertes touffes de diss qui perçaient, çà et là, le sol rocailleux; quelques petits chameliers déguenillés et demi-nus, assis en rond, tranquilles et calmes comme des vieillards, semblaient deviser des choses du temps, et là-bas, à l'horizon, au milieu d'une vapeur couleur de topaze, le blanc minaret de la mosquée du ksour étincelait dans le bleu sombre des collines sous les derniers feux du couchant.

Lorsque le disque radieux sembla effleurer la montagne, Omar regarda le haouch. Il vit le maître debout sur la porte et paraissant fouiller du regard tous les coins du marais.

—Cette petite fille serait-elle une sotte, pensa-t-il, et m'aurait-elle trahi?

Mais presqu'aussitôt il la vit paraître et se diriger du côté du jardin.

Elle se plaça de façon à n'être pas aperçue de Mansour, et, détachant lentement son haik, elle l'agita trois fois dans la direction de l'Occident.

—Elle est à moi, se dit Omar en riant. Et sans plus attendre, il reprit le chemin de la ville.

XXX

Il était si certain de la réussite, qu'il laissa tranquillement s'écouler deux jours. Homme habile, il voulait donner à la jeune fille l'impatience qui fait hâter les décisions et commettre les actes téméraires.

Il avait aussi besoin de se consulter lui-même, pour examiner les plus sûrs moyens de succès. L'assentiment d'une fille est beaucoup, c'est presque tout, mais enfin ce n'est pas tout. Il est des obstacles matériels qui brisent les volontés et des imprévus qui déjouent les calculs. Le hasard est un détrousseur, il faut compter avec lui.

De plus, son hôte lui disait:

—Ne te hâte pas; attends!

Et il avait attendu jusqu'à la veille des noces.

Il avait bien calculé quant à l'ingénuité d'Afsia.

Après avoir agité son haik, elle s'enfuit bouleversée, comme si elle avait commis un crime, puis courut à sa chèvre, et fut très désappointée de ne pas trouver un nouveau billet.

Ce qui lui était arrivé lui semblait si extraordinaire, ses idées en avaient été si bouleversées, cela faisait une irruption si violente et si subite dans sa vie, qu'elle s'attendait à tout, et l'ordinaire lui semblait l'étrange.

Elle espéra et redouta, le cœur et le ventre serrés, quelque grand événement pour la nuit. Elle s'éveilla plusieurs fois en sursaut, et tremblait comme une feuille que la brise agite, au moindre grognement des chiens.

—C'est lui, murmura-t-elle, c'est lui? Que va-t-il arriver?

Deux jours se passèrent; elle ne pensait plus à sa noce; elle oublia qu'elle devait changer de vie le lendemain, et ses yeux restaient fixés sur les roseaux du marais d'Ain-Chabrou, d'où elle sentait qu'allait surgir l'inconnu.

Le troisième jour, elle n'y tint plus; la curiosité, l'âpre désir de savoir, l'emportèrent sur toute prudence, elle feignit de chercher les fleurs du chiech, et, tout en jouant avec la chèvre, s'approcha peu à peu des premières touffes de joncs.

XXXI

Elle chantait, à demi-voix, cette chanson du Beled-el-Djerid entendue une seule fois, lorsqu'elle était encore toute petite, et pourtant si bien retenue.

—Oh! se dit Omar, qui la guettait de son poste, la gazelle ne me semble pas farouche. Aussi bien que nous, les filles de Fathma sont les enfants du péché. Ouvrez l'œil sur elles, vieillards jaloux et vieilles envieuses, vous aurez beau multiplier les veilles, les conseils et les serrures, vous ne les empêcherez pas de brûler d'envie de perdre ce que vous gardez si bien. Elles aiment le vice sans le connaître, et parce que c'est le vice. La nature est plus forte que la morale, et ce qu'on appelle vertu, n'est qu'affaire d'occasion ou de tempérament. En voici une que les femmes de Djenarah prétendent digne d'ajouter son nom sur la liste des quatre femmes que le Prophète jugeait parfaites, et la voilà qui, curieuse ou en rut comme une génisse, accourt au-devant d'un amant inconnu!

Et, caché dans les hautes touffes des glaïeuls, il la voyait lentement s'approcher sans pouvoir être aperçu d'elle, et il fut réellement ébloui.

—Elle est plus belle que je ne pensais, murmura-t-il, et elle vaut tous les douros du *khasnadji*. Oh! si le vieux bouc pouvait avoir pendant un quart-d'heure une ophthalmie qui lui brûle les yeux, ou une paralysie subite qui le cloue à sa natte, ou, mieux, un coup de bâton sur le crâne, qui l'étourdisse pendant que je tiendrai la chevrette, quitte à se réveiller au moment où je lui crierai: «C'est fini, bonhomme, c'est fini!»

Elle glissait le long des glaïeuls, les effleurant de sa gandourah, et n'étant plus qu'à quelques pas de lui; il appela à voix basse:

—*Tofla! Tofla!* Je suis ici! Je t'aime! Viens de ce côté. Couche-toi dans les joncs, le vieux ne t'a pas vue!

Elle tressaillit au son de cette voix, que le spahis voulut rendre douce, mais qui lui fit peur comme une menace. Son cœur battit avec violence, et elle fut prête à défaillir.

Mais elle n'osa tourner la tête, et continua de marcher, ne pouvant courir, sentant ses jambes chanceler.

En même temps, le Thaleb criait:

—Afsia! Afsia!

Cette voix aimée lui fit du bien. Elle revint à elle et reprit à grands pas le chemin du haouch.

—Pourquoi t'éloignes-tu ainsi? demanda-t-il. Je n'aime pas te voir approcher du marais! Ne t'ai-je pas dit déjà que Satan l'empoisonneur est caché dans ces touffes noires, et qu'il souffle, avec la fièvre, des mauvais propos aux oreilles des jeunes filles?

Afsia ne répondit pas; elle ne s'approcha pas du Thaleb, de crainte de déceler l'émoi qui la pâlissait, elle alla derrière le haouch et s'assit au bord du ruisseau.

Elle pensait. Elle pensait à cette voix qui l'avait tant effrayée, et s'accusait d'être une sotte, se disant que c'était *lui* qui se cachait là, celui qui l'*aimait*, et que, puisqu'il l'aimait, il ne lui aurait pas fait de mal. Pourquoi ne s'était-elle pas couchée dans les joncs, comme il l'en priait. Le Thaleb ne l'aurait pas aperçue et elle aurait pu le voir, *lui*, le consoler, lui dire de ne pas mourir. Et au lieu de cela, elle n'avait pas répondu, et s'était enfuie semblable à une folle! Comme elle devait lui paraître stupide, grossière et sauvage! C'est fini, il ne l'aimerait plus.

Et de dépit, elle arrachait de grosses poignées de fleurs qu'elle jetait dans le courant.

—Eh! dit Mansour, pourquoi noyer ces fleurs que tu aimes?

XXXII

Il s'était approché sans qu'elle l'entendît et la regardait en souriant.

—Tu es fâchée, reprit-il, et tu fronces le sourcil?

—Oui, répondit-elle, du ton boudeur d'un enfant gâté, car je ne puis marcher devant moi, ni aller à droite ni tourner à gauche, sans entendre ta voix m'appeler et me dire: «Où vas-tu?»

—Il faut me pardonner, dit doucement le Thaleb, en s'asseyant près d'elle; tu es mon bien et je tremble constamment de te perdre, car avec toi s'en irait ma vie. Par le Dieu miséricordieux, je ne veux pas que tu t'exposes à te faire voler le trésor que tu possèdes et que, depuis quatorze ans, je garde avec tant de soins.

—Quel trésor?

—Un joyau aussi précieux que le plus précieux diamant du sultan de Stamboul; une perle comme le chef des croyants n'en a pas et n'en a jamais eu dans son gynécée.

—Je ne possède rien, dit Afsia, qui regarda avec étonnement le Thaleb, je n'ai d'autres bijoux que les anneaux d'argent de mes oreilles, de mes jambes et de mes bras, et cette petite bague que tu m'as dit venir de ta première amie, et tout cela est à toi, puisque c'est toi qui me l'as donné.

—Et n'as-tu rien autre?

—Moi, moi tout entière, je t'appartiens, je suis ta fille et ton esclave, et demain je serai ta femme, mais toujours ton esclave et ta fille.

—O ma rose parfumée, s'écria Mansour, qui devant cette innocence et cette jeunesse, se sentait purifié et rajeuni, tu es semblable aux houris que le Prophète envoie aux fidèles alors qu'ils ont pu, allégés par leurs bonnes œuvres passer le Sirak tranchant et qu'ils nagent au milieu des délices dans les jardins des Elus.

—Les houris ont-elles aussi un trésor à donner?

—Comme toi, comme toi, ma vie. Mais que le Prophète m'accuse de blasphème, le leur ne vaut pas le tien.

Elle resta rêveuse et l'homme la regardait en silence, plein d'orgueil et d'amour.

Lui, le voluptueux, adonné si longtemps au péché, le destructeur de renommée, le souilleur de couches, il avait fait cet ouvrage sans prix, ce joyau de la nature, cette perle entre les perles, cette fleur des fleurs: Une fille nubile restée chaste, une vierge sans une tache dans la pensée, une pucelle immaculée comme la neige qui couvre aux jours des grands froids les hautes crêtes du Djurjura, comme le bouton du palmier qui, au matin du printemps, s'entr'ouvre au premier baiser du soleil.

Et il la regardait attendri, jouissant de l'étonnement qui éclatait dans ses grands yeux limpides.

XXXIII

C'est demain le grand jour, chère Afsia; il te faudra dire adieu à notre haouch, à la petite fontaine et au saule sous lequel tu te baignais; adieu à ton jardin où tu aimais à te cacher de longues heures, aux oiseaux qui saluaient ton réveil, aux roseaux du marais qui rayent de vert la plaine grise, à la montagne bleue où le soleil se couche, à la solitude, à la poussière et au simoun.

—Je suis triste, dit Afsia.

—Triste, et pourquoi? là-bas tu n'auras ni poussière ni simoun, mais un jardin aussi beau que celui-ci, avec des oiseaux qui, comme ceux-ci, chanteront à ton réveil; une maison plus belle que celle du caïd, avec des dalles de terre émaillée, et une cour où fleurissent de grands orangers, et un jet d'eau au milieu, avec des poissons rouges.

—Je suis triste, dit Afsia.

—Écoute ce que tu auras encore: Une galerie fraîche et ombreuse où, autour du grillage peint en rouge, serpente la vigne, et le chèvrefeuille et les beaux liserons aux clochettes de mille couleurs. Là tu feras la sieste et le rideau de feuillage sera si épais que c'est à peine si tu pourras voir l'azur du ciel. Tu auras sous tes pieds des tapis de Tunis, avec de belles étoffes de soie pour t'envelopper, une veste soutachée d'or comme les femmes de Constantine et des sebates rouges brodées d'or et de soie bleue.

—Je suis triste, dit Afsia, triste, triste.

—Égaye-toi, mon enfant chérie; ta tristesse couvre mon âme d'un nuage. Pourquoi devenir triste à l'heure où tant de filles sont joyeuses? Que diraient les femmes qui viendront te prendre au matin, si elles te voient le souci dans les yeux? Elles croiraient que les vieilles à l'œil mauvais ont jeté un sort sur tes fiançailles et que tu pleures parce que tu hais ton époux.

—Elles mentiraient! car, je t'aime bien, et ce n'est pas cela qui me rend triste....

Elle hésita, elle allait tout avouer, mais il répéta, craignant entendre de cette bouche naïve que c'était sa barbe grise qui assombrissait sa fiancée:

—Éclaire ta face, lune de mon âme, ta douce lumière sera désormais le flambeau de mes nuits. Oh! que te rendrai-je pour tout le bonheur que tu vas me donner. Je voudrais être la frange de ton haik, pour ne pas te quitter le jour, ou mieux une boucle de tes cheveux noirs pour ne te quitter ni jour ni nuit. Je voudrais être le *Meroued* qui te noircit les yeux, ou mieux la couleur de grenade mûre qui te rougit les lèvres. Allons, lève-toi, aimée de mon cœur, laisse ta source courir et pleurer, et va te faire belle.

—Où seras-tu, Mansour, quand les femmes me prendront?

—Je suivrai ta mule sur un cheval de race que m'enverra le caïd, un descendant d'un étalon noir, fils d'une jument de mon père, sur le dos duquel j'ai acquis du renom, et je veillerai, le sabre nu, sur le trésor que Dieu m'a donné!

XXXIV

Elle alla se parer de ses plus beaux atours, de ceux que Mansour lui avait achetés à sa dernière visite à la ville.

Et quand elle eut tressé ses lourdes nattes noires, épaisses comme la *berima* que les nobles fils des tentes roulent autour de leur tête, et qui tombaient, voluptueuses cordes de soie, de chaque côté de ses épaules si souvent baisées du soleil; quand elle eut mis une *gandourah*, si fine qu'à travers la trame se reflétaient les tons rosés de sa chair, et enfermé ses hanches dans le large pantalon de soie jaune qui laissait ses mollets nus, elle serra ses flancs du foutah multicolore, noua sa large ceinture d'or et, prenant un miroir à manche, elle s'assit sur ses coussins de laine, et tout en mâchant la branche du *souak* qui parfume l'haleine et fait les lèvres pourpres, s'admira.

Comme un enfant que sa mère a revêtu d'habits neufs et qui n'ose plus remuer, de crainte de se salir et de déranger les plis méthodiques de son accoutrement, elle restait là, immobile, radieuse, se souriant à elle-même.

Elle ne pensait plus à son mariage, ni à Mansour, ni à l'homme caché dans les roseaux, ni aux petits billets qu'il lui avait écrits, ni à sa voix qui lui avait fait peur; elle ne pensait qu'à se trouver belle, et certes, jamais plus charmant spectacle ne pouvait frapper sa vue.

Et pour donner encore plus d'éclat à ses grâces, à ses splendeurs et à son sourire, le père du monde qui avait aidé à l'épanouissement de cette merveille, rougi ses lèvres, rosé ses joues, gonflé ses seins et allumé ses yeux, le soleil, le radieux soleil vint du fond de l'Occident lui rendre visite.

Il jaillit tout à coup à travers le treillage de sa petite fenêtre, l'inondant de ses rayons pour caresser une fois encore, avant qu'elle fût à jamais partie, cette virginité éclose et mûrie sous ses baisers. Comme on entoure un être cher, qu'on ne doit plus revoir, ne pouvant se détacher de lui, l'embrassant, puis le repoussant, puis, revenant l'embrasser encore, disant: «Adieu! adieu!» il l'enveloppa tout entière, illuminant sa face, se jouant dans les reflets bleus de sa chevelure, miroitant dans les anneaux d'argent de ses oreilles, de ses bras et de ses chevilles, scintillant dans le chapelet de sequins qui encadrait ses joues brunes et les paillettes d'or de sa calotte de velours violet, courant sur elle comme un frisson, fouillant partout, jetant partout de subites ténèbres et de subites clartés, des torrents de couleur fauve, des ruissellements rouges, des cascades de feu, éparpillant au moindre mouvement d'elle, les ombres et les éclairs.

Au milieu de ces rayonnements, l'enfant ressemblait à ces idoles de femmes éclairées de lueurs artificieuses et devant lesquelles, au fond de mystérieuses chapelles, se prosternent les idolâtres adorateurs de Jésus. Ainsi que ces symboles éternels de l'abêtissement humain, elle s'était entourée des parfums qui grisent et troublent le cerveau des plus forts. D'un petit réchaud de cuivre placé devant elle, montaient les nuages bleus des pastilles odorantes, et des plis de ses vêtements et du gonflement de ses seins s'émanait l'essence des roses. Le poison subtil et délicieux emplissait l'*oda*, chargeant l'air de mollesse et de langueur. Défiez-vous de ces enivrements. Dans vos mosquées, ils courbent la femme sous vos prêtres, mais sur les coussins voluptueux de l'alcôve et derrière le rideau du Gynécée des tentes, c'est l'homme fort qu'ils courbent sous la femme chétive. A la fille la plus frêle ils livrent les rudes et durs soldats, plus soumis que les esclaves noires que jadis nos caravanes ramenaient des terres chaudes, de l'autre côté des sables, pour les vendre aux marchands chrétiens. C'est pourquoi, si tu veux rester homme, ne t'attarde pas en la compagnie des femmes.

Celui qui vit au milieu d'elles devient eunuque par le cœur. Car si le fer tranche à l'eunuque ses parties charnelles et créatrices, les émanations de la femme lui châtrent la virilité de l'âme.

Ainsi il a été recueilli, ou à peu près, dans les paroles du sage Lockman, qui n'est autre que le grand Salomon.

Et lorsque le Thaleb poussa doucement la porte de l'*oda*, il fut ravi en extase, en même temps il sentit la chaleur de trente ans courir dans ses veines et son cœur mollir.

Et devant ce bouquet sans pareil, rose et violette, hyacinthe et lys, épanoui au milieu des ardentes vapeurs de l'encens, devant cette idole parée que les derniers feux du couchant illuminaient pour l'adoration, il tendit les mains et tomba sur ses genoux.

XXXV

Le soleil disparaissait derrière la montagne, envoyant un rayon, le dernier, caresser le visage de la *tofla*, faisant jaillir encore une fois les étincelles de ses sequins et de ses dorures, et aux yeux éblouis de Mansour elle parut la vivante merveille qui emplissait l'oda de lumières et de parfums.

Puis tout rentra dans la pénombre et il ne resta de lumineux que les étincelles de leurs regards.

Car ils plongeaient leurs yeux dans leurs yeux, lui haletant, ému, assailli de désirs; elle étonnée, sérieuse et calme. A la vue de ce vieillard à genoux, nulle pensée railleuse ne courut sur son front et ne releva les coins de ses lèvres. Elle se dit que c'étaient sans doute les préliminaires de l'œuvre de l'époux, et était prête à demander:

—Que dois-je faire?

Mais elle n'osa, crainte de le voir sourire de son ignorance, et comme il restait agenouillé, la dévorant du regard, elle lui prit la tête et le baisa au front.

Il frémit au contact de ses lèvres et passa ses mains brûlantes sur les hanches de la vierge.

—Rayon de ma vie, pourquoi m'embrasses-tu?

—Parce que je t'aime.

—Comment m'aimes-tu, dit le vieillard doucement chatouillé par cette caresse; comme un père ou comme un amant?

—Je ne sais pas. Je t'aime parce que tu es bon; parce que tu as veillé sur mon enfance, parce que tu me donnes tout ce que je veux; mais je suis prête à t'aimer comme tu voudras. Dis-moi seulement comme tu veux l'être et, puisque je vais devenir ta femme, enseigne-moi comme une femme doit aimer.

Et, fière de sa réponse, elle attendit son approbation.

—O lac de pureté! murmura Mansour, qui oserait troubler ton âme limpide!

Et après avoir appuyé longuement ses lèvres sur ses petites mains aux ongles roses, il se leva, craignant de ne pouvoir rester plus longtemps maître de lui. Il eut peur de se voler lui-même. Et, le cerveau troublé par l'amour et les parfums, sentant son énergie chanceler, il descendit brusquement, sans ajouter un mot, traversa la chambre du bas et ouvrit la porte du haouch.

Debout sur le seuil, il regarda les rayons jaillir de l'Occident, comme les feux d'une fournaise où le bras du Puissant eût jeté tous les empires, et il lui sembla que, dans ce gigantesque embrasement, il voyait fondre son bonheur.

—Au nom de Dieu le Miséricordieux, s'écria-t-il, que nul vent funeste ne se lève cette nuit et qu'aucune tempête ne vienne troubler la sérénité de demain!

XXXVI

En ce moment les chiens aboyèrent, et une voix d'enfant cria d'un ton traînard et monotone:

—Thaleb! Eh! Thaleb-El-Mansour! Sidi-Thaleb!

—Qu'y a-t-il? demanda brusquement le Thaleb.

Et il vit un petit garçon d'une dizaine d'années, arrêté à deux cents pas du côté du marais, avec un chien en laisse.

—Puis-je approcher? dit l'enfant, tes slouguis ne me feront pas de mal?

—Ils sont attachés; que veux-tu?

—Voilà, dit le petit en s'avançant de quelques pas; je viens de la part du Cheik Ben-Kaouaidi du douar qui est là-bas, au bout de la plaine; il t'envoie sa chienne pour tes slouguis.

—Que le diable te prenne avec ta chienne et ton cheik! cria Mansour; drôle, va-t-en!

—La bête est de bonne race, riposta l'enfant sans se déconcerter, et Sidi-ben-Kaouiadi voudrait qu'elle ait une portée de tes chiens.

—Va lui dire que s'il veut des chiens, il les fasse lui-même, et sauve-toi, ou je lâche les miens à tes fesses.

Les slouguis, qui flairaient l'odeur de la femelle, gémissaient avec convoitise.

Le petit garçon hésita quelque temps comme s'il ne savait que faire, puis se décida à s'en aller lentement, tirant sa chienne qui pissotait tout le long du chemin.

—J'irai tancer moi-même, murmura Mansour furieux, ce cheik imbécile, qui m'envoie sa chienne à faire accoupler. Joli tableau pour Afsia, la veille de ses noces!

Et il suivit des yeux le petit bedouin qui s'enfonçait dans les roseaux du marais, comme un point gris dans le noir.

Les gloires du couchant s'étaient effacées peu à peu; il ne restait plus qu'une teinte ardente et l'étoile du soir monta.

Bientôt les bruits inconnus au jour se levèrent dans les profondeurs sombres. Chacals, hyènes, chats sauvages, vipères à cornes, scorpions noirs, petits serpents gris aux yeux d'émeraude, allèrent par les chemins, cherchant leur proie. Toute la canaille de nuit, les hôtes des solitudes, les rôdeurs affamés et osseux, les visqueux, les glauques et les fauves, la légion sinistre des voleurs, qui s'aventurent à l'heure où l'homme de bien se couche et cherchent la vie de leur ventre, alors que les autres sont repus, commençaient à bruisser dans l'ombre.

Pourquoi celui qu'on nomme Dieu a-t-il voulu des affamés et des maigres, et n'a-t-il pas jeté large pitance à tous. C'est là ce que crie le vulgaire, oubliant que tout bien doit être conquis. Aussi, pour ceux qui n'ont pas leur part, le Maître a fait la nuit; c'est la bénédiction du pauvre, et puisque tu lui refuses la pâture, il te la volera.

C'est à toi, gorgé, à garder tes victuailles.

Et avec la nuit, les ténèbres descendaient dans le cœur de Mansour.

Au matin, le monde entier lui semblait en fête, tout s'inondait de joie, et maintenant, son âme était triste comme si elle avait suivi son propre corps, porté sur le brancard funèbre, enveloppé dans le linceul vert.

—Eh quoi donc? dit-il, en écoutant les lointains jappements qui perçaient l'obscurité comme des avertissements sinistres, pourquoi la voix de ces voleurs t'attriste-t-elle? Ils n'en veulent ni à toi ni à ton bien, et tu n'as rien à redouter d'eux. Ne les connais-tu pas? Ne les as-tu pas frôlés cent fois dans tes courses nocturnes, alors que, rôdeur de nuit comme eux, tu allais comme eux repaître ta chair. Tu les rencontrais au détour des sentiers et au coin des broussailles, et tu leur disais: «Passe.» Et nous allions chacun où nous poussait notre faim!

Ah! c'était le bon temps, c'était le bon temps où je volais ma pitance chez les heureux qui l'avaient trop plantureuse. Et que ne gardaient-ils mieux leurs femmes, ces gras, insolemment vautrés dans les chairs fraîches. C'était ma part, alors, la part des autres, et je la gagnais, car les femmes aiment les audacieux. Et maintenant, c'est à mon tour de garder la mienne.

Chaouias, Hadars, Giaours, je vous ai défiés et bravés, quand j'étais jeune; me voici vieux, et encore je vous brave et je vous défie. Tant que j'ai été fort, vous m'avez appelé l'Heureux, parce que j'ai su me tailler ma voie dans la vie; mais depuis que ma barbe a grisonné, vous m'avez appelé le Fou. Vous avez raillé, vous avez poussé des éclats de rire entre vous et avec vos femmes, et vous avez dit: «Il garde précieusement le bien qu'un autre lui volera.» Qu'il vienne, cet autre, car voici l'heure, voici l'heure où nul ne pourra plus me l'enlever!

Et alors, il éleva sa voix mâle, et cria l'avertissement qu'il lançait dans le désert, lorsqu'au milieu du silence de la nuit tout, excepté lui, dormait dans la caravane:

—Qu'il prenne garde! qu'il prenne garde! Celui qui tourne autour de nous, tourne autour de sa mort.

La douce voix d'Afsia, toute tremblante, vint murmurer à ses côtés, et le rappeler à lui-même:

—Qui donc menaces-tu ainsi?

Il sourit sans répondre.

—Je n'entends rien, reprit-elle après un moment de silence, rien que le jappement des chacals et le bruit des pas de quelques chevaux du côté d'Alloufa. Que fais-tu là? rentrons.

Il la prit sous la taille, la poussa dans le haouch.

Tout était prêt pour le départ. Les objets qu'ils devaient emporter, les vêtements de la jeune fille, les *frechias* multicolores, le beau Koran enluminé et écrit tout entier de la main du *thaleb El-Hadj-Ali-bou-Nahr*, le plus habile calligraphe de la province de Constantine et ton serviteur, ses *flissas* à manche de bois sculpté dans leurs fourreaux de cuir rouge, son fusil damasquiné aux capucines d'argent, qui avait fait tant de veuves et de mères sans fils, et la bride aux œillets brodés de soie et d'or, tout usée et tailladée dans les batailles, la bride de la belle coureuse, issue du fils de Naama, qu'il avait montée après lui aux grands jours de la poudre, et ses étriers sonores et ses éperons d'argent aux rudes arabesques, vieux serviteurs conservés à travers les vicissitudes et les périls! Que de souvenirs attachés à tout cela! Que d'événements! Que d'émotions! Que d'heures lourdes et légères, lumineuses ou sanglantes! Et tout ce passé lugubre ou radieux, il l'entassa pêle mêle dans un grand *fondouk*.

Et quand le coffre de chêne fut fermé, quand il eut jeté autour de lui un dernier coup d'œil, visité, une fois encore, la chambre d'Afsia, il le poussa contre la porte de l'escalier et s'assit dessus comme sur les cendres de son passé, ne regardant plus que l'avenir.

L'avenir! Il était devant lui tout radieux; il avait des yeux noirs chargés d'étoiles, brillantes comme autant de promesses et qui le regardaient.

Il fit un signe, et la fiancée s'approcha, pesant de son poids léger sur sa robuste poitrine. Délicieuse charge. Un poids de bonheur, une accumulation de biens; quelque chose de suave comme l'oiseau qui agite ses ailes entre deux mamelles, comme des lèvres frissonnantes sur des chairs pâmées.

Ce doux fardeau, il eût voulu l'avoir dans son cœur, enfermé, blotti, caché jusqu'au lendemain.

XXXIX

Afsia avait bien entendu la voix de l'enfant, et avait tressailli. Elle sentait maintenant qu'elle avait mal fait de garder le secret de son aventure, et son instinct l'avertissait qu'une œuvre louche se tramait dans l'ombre par sa propre faute. Elle brûlait de tout avouer, mais ne savait comment faire pour tout avouer et surtout comment commencer l'aveu; elle ouvrait les lèvres, mais le feu lui montait au visage et sa langue se glaçait. Alors elle s'appuyait plus étroitement contre Mansour, implorant mentalement du fond du cœur le pardon de la faute.

Lui, la regardait, la pressant de ses mains fiévreuses. En apparence, indifférent et calme, il était ému comme un adolescent à son premier rendez-vous. Il fallait qu'il se reportât aux jours lointains de son amour illicite avec sa belle-mère Meryem pour se rappeler un pareil trouble. Que d'heures passées depuis! Que de semaines, que de mois, que d'années! Les épis blancs de sa barbe étouffaient depuis longtemps les noirs, et cependant il sentait se lever en lui les aboiements furieux d'une passion de vingt ans!

Il la regardait; ses bras avaient glissé jusqu'à ses hanches, et il voyait le sein virginal se soulever doucement sous la respiration de la vierge.

Il voyait la bien-aimée toute blanche, toute enveloppée des voluptueux rayonnements de sa grâce, de sa beauté, de sa parure et de ses parfums!

Elle était donc à lui, cette belle fille, à lui, le vieux bouc, à lui, rien qu'à lui. C'était son bien, sa chose, sa fiancée, sa femme, et il pouvait en jouir sur l'heure, s'il le désirait. Cette pensée faisait bouillonner son sang; et le brûlant simoun qui avait soufflé tout le jour, la toilette de la jeune fille, ses odeurs, ses ignorantes et dangereuses familiarités, la tiède brise du soir, entrée par la porte entr'ouverte, la nuit chaude et chargée de miasmes amoureux, le rossignol chantant dans la saule, et, là-bas, les voix mélancoliques qui saluaient, du milieu des roseaux, le doux lever de la lune, tout lui criait: «Prends-la! Prends-la!»

Non loin, sur un escabeau, une lampe de terre rouge jetait, dans l'oda, une mystérieuse et fauve lueur, et, dans un des coins, une large natte de diss flanquée d'épais coussins de laine restait déployée. C'est là que tous deux allaient se reposer en attendant les invités de la noce qui devaient venir les prendre aux premières clartés du matin.

Il la lui montra, l'éloignant de lui presque avec rudesse:

—Va dormir, enfant.

Une enfant! hier encore, c'en était une; mais aujourd'hui, il ne savait pourquoi, elle lui paraissait femme. Son cœur jusqu'alors l'avait aimée; maintenant ses sens la désiraient. En quelques heures s'était opérée cette métamorphose, et il la repoussait, craignant de succomber.

Elle s'éloigna, docile; et détachant de son cou son chapelet à grains d'ivoire, faisant passer chaque grain sous ses doigts, il murmura à demi-voix, comme pour ne pas entendre la pensée qui l'assiégeait: «Allah! Allah! Allah!»

Car il est écrit dans le Livre que ce nom sacré chasse les désirs impurs.

Afsia, obéissante, s'était assise sur les coussins de laine, mais comme il prononçait pour la centième fois le nom de Dieu, il lui sembla entendre une voix gémissante éclater, claire et distincte au milieu des jappements des chacals.

Elle se releva aussitôt et courut se réfugier entre les jambes du Thaleb:

—Entends-tu? dit-elle; j'ai peur.

Et, se pressant de nouveau sur sa poitrine, elle se cacha sous ses burnous.

Il prit la tête de l'enfant et se mit à baiser ses grands cheveux noirs.

Elle se laissait faire, toute heureuse. C'étaient les caresses d'un père, et elle n'en soupçonnait pas d'autres. Le moment était-il venu de lui avouer le secret qui la tourmentait depuis quelques jours? Mais lui, se dressant tout à coup, la repoussa encore. Il courut à la porte et fouilla l'espace noir.

Un être gémissait là-bas. Il y fit à peine attention. Il comptait combien d'heures à attendre l'arrivée des hôtes, et disait:

—S'ils pouvaient avancer le temps!

—J'ai peur, répéta Afsia, qui le suivait et s'attachait à lui, j'ai peur. Ne t'en va pas. Écoute, Mansour, j'ai quelque chose à te dire. Reste avec moi. Ne me quitte pas! ne me quitte pas!

Rester avec elle! c'était justement ce qu'il redoutait, car il venait d'être pris de cette fureur qui saisit les hommes et, parfois aussi, dit-on, les femmes, à la veille de passer la porte de la vieillesse. C'est l'âge critique des passions comme de la vie. L'amour s'allume et éclate ainsi qu'une arme chargée par une main malhabile. Ceux qui ont franchi l'âge mûr et jouent le jeu des jeunes se blessent et se font huer.

Les huées, il n'en voulait pas. Il voulait la vierge, mais ne voulait pas les rires, et il y aurait des rires, le lendemain, dans Djenarah la Perle, si par malheur il allait faiblir.

Et cependant, plusieurs fois en quelques minutes il avait vu venir le moment où il ne pourrait plus être le maître de lui-même, où, larron de son propre bien, il allait déflorer sa fiancée, se faire cocu la veille de ses noces, livrer le reste de sa vie à l'éternelle risée. Car, quel bruit, lorsque la matrone, ouvrant la fenêtre, au lever de l'aurore, présenterait, aux éclats de rire de la foule impatiente, un linge immaculé!

—Par le Prophète, dirait-on, voilà quatorze ans que le vieil âne garde sa fiancée, prise par lui au maternel ventre pour être plus certain de l'avoir pucelle, et, la nuit des épousailles, elle n'a même pas taché sa couche. Ah! le maudit de Dieu! Est-il donc si faible, ce vieux suborneur de femmes, ou l'oiseau qu'il tenait en cage s'est-il enfui sous son nez? Tahan! Tahan! Cocu! cocu!

Oui, oui; on crierait cela et bien d'autres choses encore en le montrant du doigt, lorsque, honteux et farouche, il se glisserait le long des maisons, son capuchon sur les yeux, comme un pauvre, et le burnous serré à son grand corps maigri.

Il prendrait les rues désertes, il suivrait l'ombre, il s'effacerait le long du mur; mais quelque passant se trouverait toujours, qui pousserait son voisin du coude en le montrant, ou quelque mauvais petit drôle qui crierait de toutes ses forces:

—Oh! Thaleb! oh! cocu! Qui donc fut avant toi l'amant de ton épouse?

Ou bien encore une vieille, ses anciennes amours, qui lui cracherait sur le capuchon en montrant ses dents jaunes.

XLII

Il avait pris son bâton et marchait à grands pas devant sa porte, frappant l'air comme s'il frappait sur les têtes des calomniateurs, croyant entendre déjà les huées et les rires.

—Non, cela ne sera pas. Les maudits ne me jetteront pas leurs insultes. Hadars et Chaouias, vous savez comment je me nomme.

Je suis l'Heureux, l'Heureux et, jusqu'à la dernière heure, vous baiserez mon étrier, et m'appellerez Seigneur!

Non, non, dût la vierge me supplier et mettre ses lèvres sur ma bouche, m'enlaçant comme un rameau de lierre, mon cœur et mes sens resteront comme le marbre de la mosquée.

Et la vierge, en effet, l'appela, le supplia et lui cria du seuil:

—Mansour, Mansour, reviens ici.

—Rentre, ma gazelle, répondit le Thaleb, ne cherche pas à me suivre; détache les chiens; qu'ils veillent près de toi! entends-tu cette voix en détresse. Je cours jusqu'aux premiers roseaux du marais.

—Mansour, ne va pas là-bas, je t'en conjure; Satan le mauvais est caché dans les joncs, tendant comme une araignée sa toile de maléfices.

Le Thaleb sourit à ces paroles, qu'Afsia répétait d'après lui.

—Rassure-toi, enfant; il ne tend ses toiles que devant les jeunes filles, les femmes et les faibles, mais les hommes comme moi, d'un coup de bâton crèvent le tissu. Il n'y a là bas qu'un petit drôle venu ici tout à l'heure et qui, sans doute, aura glissé dans quelque trou du marais. Je reconnais sa voix? La malédiction tomberait sur ma tête si je laissais périr cet enfant.

—Ne me laisse pas seule, Mansour. Je te jure que c'est un maléfice. Reviens, écoute-moi, j'ai un aveu sur les lèvres.

Mais lui, craignant un nouvel assaut à ses sens:

—Un aveu, candide gazelle! Tu me le feras à mon retour. Ne crains rien: les chiens feront bonne garde et ma vue ne quittera pas le haouch. Reste, tofla, et pousse les verrous.

Et il se mit à courir.

XLIII

Il courait plein de pensées, et arriva sans y songer à l'endroit où la terre est humide et commence à se hérisser de glaïeuls.

Et comme il s'arrêtait, il entendit devant lui la voix gémissante crier:

—A l'aide! à l'aide!

—Toi, petit drôle, répondit le Thaleb! Où es-tu? Tu t'es chargé des commissions du diable et le diable t'a lâché en chemin. Tu es dans la boue avec tes vices! Restes-y.

—Sauve-moi, gémit l'enfant.

Mansour s'enfonçait dans les roseaux, par le sentier qui serpente autour des flaques immobiles, lorsqu'il s'aperçut que ses chiens le suivaient.

Étonnés des mouvements de sa trique qu'il brandissait dans l'air, menaçant d'invisibles ennemis, ils trottinaient silencieux, flairant une piste, à une distance prudente.

Dans les roseaux noirs, il vit leurs yeux luisants.

—Chiens du diable, cria-t-il furieux, que venez-vous faire avec moi? Qui vous a demandés, fils de louves? Pourquoi me suivez-vous comme des djinns sinistres, misérables? au haouch, canailles! au haouch! voleurs! au haouch!

Et il lança sur eux son bâton.

Ils battirent en retraite au galop, oreilles basses et queue serrée sous les jambes; mais bientôt s'arrêtèrent tous trois, regardant leur maître s'éloigner.

Il s'était remis à courir, car la voix plaintive retentissait plus fort, avec un accent de détresse: «A l'aide! à l'aide!» Mais toujours à la même distance et de l'autre côté d'un des bras du marais. Pour y arriver, il devait faire un détour; il s'arrêta, hésitant à s'y décider, et jeta un regard en arrière.

Le haouch était là-bas, bien loin déjà. Il eût pu voir encore sa silhouette blanche dans la nuit claire; mais un gros nuage couvrait la lune et il ne l'apercevait plus. Il ne distinguait même plus le bouquet de la fraîche oasis épanoui autour comme un sourire du ciel. Tout s'effaçait dans les grandes couches d'ombre.

XLIV

Mais la voix de l'enfant appelait, toujours plus lamentable, et il continua sa course.

Déjà il avait traversé la ligne sombre des roseaux et se trouvait sur le bord du marais étendu comme une nappe noire, qu'hérissaient çà et là les pointes aiguës des grands joncs.

Il écouta: plus rien. Dans la plaine, les jappements lointains des chacals, et tout prêt le battement d'ailes d'une poule d'eau troublée dans son sommeil, le clapotement des grenouilles qui plongeaient dans les eaux profondes.

A son tour, il appela.

Un souffle léger agitait les herbes; avec des grouillements, des lueurs glauques, des glapissements confus dans des amoncellements de noir, où éclataient, tout à coup, des flaques d'un blanc mat, sans lumière et sans reflet.

Il répéta son appel:

—Où es-tu? fils du diable, où es-tu?

Mais rien ne répondit, et cet homme qui n'avait jamais connu la peur, eut un tressaillement qui lui serra le ventre.

—C'est l'heure infernale des djinns, dit-il, et il se répéta à lui-même ce qu'il avait crié à ses chiens:

—Au haouch! au haouch!

Et, au même instant, il entendit non loin de lui un grand bruit dans les hautes herbes. Et s'étant avancé, il vit les noires silhouettes des slouguis, dont l'un s'accouplait à la chienne, tandis que les autres se livraient bataille et se roulaient en hurlant dans les fanges du marais.

XLV

Oui, le haouch était perdu dans les noires profondeurs. Il avait rayonné trop longtemps dans la plaine, avec son toit rouge et ses murailles blanches et sa joyeuse oasis verte. Il avait vibré trop longtemps sous les gais éclats de son hôtesse, les gais chants de ses oiseaux. C'était assez. Voilà que l'ombre sinistre s'étend sur lui, et le malheur qui l'avait oublié, s'arrête, et secoue sur sa quiétude son aile toute chargée de pleurs.

Chacun son tour. Chacun son tour. C'est le frère aîné de la mort. Il lève avant elle la contribution posée sur nos têtes. Tous passent par ses mains brutales, car, petit est le nombre des justes qui ont su les éviter. «A moi aujourd'hui, demain à toi.» C'est le mot écrit à l'entrée des champs où l'on enfouit notre chair morte; c'est la menace que jette à ceux qui rient ou qui pleurent l'ombre de celui qu'on va donner aux vers. Mais c'est surtout le mot qu'à l'heureux qui festoie doit jeter le misérable.

O toi qui souris à la vie, adolescent, adolescent aux yeux humides, toi qui au milieu des roses savoures le sein de ta maîtresse, la tête enfouie dans le doux sillon, hâte-toi de rire, de jouir et d'aimer, car, l'infortune est là qui te guette pour te glacer, à jamais, et les lèvres et le cœur.

—Allah! Allah! pourquoi ces misères? gémit l'insensé qui s'est laissé surprendre par le visiteur lugubre.

Mais il répond:

—Rentre en toi-même, imbécile, et ne t'en prends qu'à toi des colères du destin. Regarde derrière. Ne m'as-tu pas frayé une route assez large? Voilà vingt ans que tu travailles à m'aplanir la voie. Je passais, je l'ai vue toute tracée et toute droite; je l'ai prise et maintenant me voici.

Et le voilà qui frappe à la porte du haouch et qui dit:

—C'est moi, me voici!

—Qui, toi? demanda la jeune fille plus blanche que son blanc haik.

—Moi, celui que tu attends.

—Je n'attends personne. Qui es-tu?

—Moi! ne sais-tu pas? Moi, l'amant, celui qui t'aime, celui qui meurt d'amour. Ouvre, ouvre-moi.

—Toi! murmura Afsia tremblante, toi qui m'as écrit que tu voulais mourir. Je n'ose pas t'ouvrir; je ne le dois pas et j'ai peur.

—O vierge dont le visage est plus radieux que l'étoile du matin; dont la voix est plus mélodieuse que le son des instruments aux jours de fête; vierge plus douce à la vue que les dattiers de l'oasis, plus fraîche que la source qui jaillit du rocher; de quoi donc as-tu peur, toi qui peux commander aux hommes comme une sultane aux nègres du sérail?

—Va-t'en! va-t'en! dit Afsia.

—Laisse-moi entrer, car tu es la fontaine, et j'ai soif. Je suis le palmier altéré de la source et, qui, loin d'elle, va mourir. Ouvre-moi, car je me sens sécher d'amour.

Pendant les longues heures passées dans les grands roseaux, il avait eu le loisir de préparer ces belles paroles, filets dorés auxquels les femmes laissent prendre leur cœur.

—Je ne puis t'ouvrir, répondait Afsia. Le Thaleb El-Mansour, mon maître, me l'a défendu. Il ne faut pas que je parle à aucun homme, car il m'épouse demain. Retire-toi donc, étranger; dès l'aurore, j'irai à Djenarah, et, si tu veux me voir, mêle-toi à ceux de la noce; il y aura place au banquet pour tous.

—Quoi! c'est donc bien vrai! ce vieux, qui a un pied dans la tombe, mettra-t-il l'autre dans ta couche? Il se trompe; ce n'est pas toi, c'est la mort qu'il doit épouser. On me l'avait pourtant affirmé, mais je ne pouvais le croire. Je répondais: «Mauvaises gens, vous mentez. Non, la rose de Djenarah ne peut épouser ce débris d'homme.» Je le crois maintenant, puisque tu l'avoues. Le malheur est-il à ce point pendu sur ta tête! Oh! tu n'as pas réfléchi; il abuse de ta naïveté et de ton innocence! Cependant, tu as des yeux; tu vois. T'a-t-il donc jeté un sort, avec son regard de vautour chauve, que tu consentes à remettre ta jeunesse, ta beauté, ta virginité en ses bras raidis et froids? Ah! il ne te fera rien goûter et, avec lui, tu ne connaîtras pas les extases. Pauvre bouton, il te déflorera brutalement, sans que tu aies senti pousser tes feuilles; tu t'étioleras sous ce souffle glacé! tu te sécheras sur cette terre aride, et tu pleureras jusqu'à la dernière heure, ta virginité, ton bonheur et ta jeunesse, perdus et flétris. Songes-y, ô toi dont les yeux sont des étoiles et la bouche une source de volupté; il te faut l'amour des jeunes. Ouvre-moi, et je te donnerai un avant-goût des joies du Paradis.

—Je ne puis pas. Ne me parle pas ainsi. Je ne veux pas t'écouter davantage. Va-t-en!

—M'as-tu donc fait venir pour me chasser? N'as-tu pas agité ton haik, comme je te le demandais, et t'ai-je forcé de donner le signe convenu?

—Je n'ai pas su ce que tu voulais, quand tu m'as demandé cela. Mais maintenant, je vois que j'ai mal fait. Tu m'as envoyé de douces paroles, et je voulais voir le visage de celui qui me les envoyait.

—Eh bien, me voici. Ouvre-moi, et tu verras mon visage.

—Je ne veux pas le voir, car j'ai fait mal, et j'ai eu des remords, et je ferais plus mal en te voyant. Retire-toi, Mansour va venir, et s'il te trouvait à sa porte....

—Ne crains rien. Le vieux est loin. Il a affaire à un rusé drôle, un petit chamelier à qui j'ai donné une pièce blanche et promis le double s'il le tenait pendant une heure éloigné d'ici. Ah! c'est un coquin hardi, il le fera courir longtemps à travers les roseaux, tandis que sa chienne occupe les slouguis. Tu vois, tous font l'amour; il n'y a que toi, ignorante tourterelle, qui refuses ton bien. Hâte-toi; et puisque tu veux le vieillard malgré tout, je partirai ensuite, et nul, pas même l'époux à ta nuit de noce, ne soupçonnera le doux larcin. Je sais les secrets qu'on dit aux jeunes filles, et je t'enseignerai comme on trompe les vieux.

—Je ne veux tromper personne.... Quels secrets me diras-tu?

—Des secrets qui ne se murmurent que bouche contre bouche.

—Alors, va-t'en.

—Si tu ne m'ouvres pas, je vais me coucher au travers de la porte, afin que le vieillard me heurte du pied.

—Oh! ne fais pas cela! Mansour te tuerait!...

—Oui, à cause de toi. Car pour toi je me livrerai aux coups comme un chien docile. Oh! mourir pour toi et te laisser mon souvenir! Je verrais couler mon sang avec joie, si je ne craignais qu'il ne retombe sur ta couche nuptiale. Songes-y, du sang qui ne sera pas le tien, dans le lit de noces. Me voir venir, la poitrine souillée de rouge et le visage pâle, troubler ta première nuit. Quoi! pour un mot, pour un seul mot, un pauvre petit mot que je veux te dire, en regardant tes grands yeux noirs, ne peux-tu éviter ce malheur? J'en jure sur ma tête, sur la tienne et sur celle de l'homme qui va te tenir demain dans ses bras, Mansour l'Heureux sera, par ta faute, appelé le Misérable. Le Prophète l'entend.

—Je t'en conjure, n'empoisonne pas ma vie, ni celle de celui qui fut un tendre père. Que me veux-tu dire? Que me veux-tu?

—T'aimer, t'aimer!

—Ne peux-tu m'aimer de loin, et de l'autre côté de la porte?

—Un baiser, rien qu'un, et je partirai aussitôt.

—Tu le jures?

—Sur le tombeau du Prophète et sur le châtiment de Dieu.

XLVI

Elle ouvrit, et il se rua sur elle.

Par une pudeur instinctive, elle avait éteint la lampe; elle ne voulait pas que, pour la première fois, il pût contempler sa face. Ils étaient dans l'ombre; elle sentait son souffle brûlant, elle entendait sa poitrine haletante, elle était éperdue et affolée de ses audaces et de ses actions.

—Que fais-tu? que fais-tu?

Elle se débattait dans ses bras, ignorante de ce qu'il exigeait, indignée et pleine d'épouvante.

—Pardon! pardon! répétait-elle. Que t'ai-je fait? ne me tue pas. Pourquoi me fais-tu mal? A moi, Mansour, à moi!

Mais lui, allait toujours, profitant de l'ombre, étouffant ses plaintes sous la furie des baisers.

XLVII

Et quand ce fut fait, il voulut la voir, pour jouir plus pleinement de son triomphe; et, ayant rallumé la lampe, il la reprit dans ses bras.

Jamais, dans ses courses à travers les tribus, il n'avait rencontré plus ravissant visage, jamais, soulevant le voile des filles des Hadars, il n'avait baisé d'aussi appétissantes lèvres, jamais, dans les races de l'Islam, si fertiles en beautés, il n'avait vu briller des yeux aussi noirs. Il ne se lassait pas de la regarder, et souriait.

Elle le regardait aussi, mais ses lèvres étaient sans sourire. À travers ses larmes, on voyait l'épouvante. Son cœur, étonné, restait triste. Elle entrait dans la vie par la porte mauvaise, et la vue de cet amant ne lui laissait que le remords.

«Quoi! est-ce donc là l'amour?» disait son regard; mais peut-être ne pensait-elle pas encore; elle était anéantie en face de cet homme qui venait, d'une façon si subite, se ruer au milieu de ses jours. «Quoi! c'est là tout? c'est là tout! Oh! El-Messaoud, El-Messaoud! c'était donc ce que voulait cet homme!» Mais elle ne savait pas. Pourquoi lui avait-il laissé ignorer? Elle se serait défendue, elle n'aurait pas ouvert. Il avait cru garder sa chasteté en la tenant dans l'ignorance du mal, et voilà que sa chasteté ignorante a ouvert toute grande la porte au larron d'honneur. Elle savait maintenant; elle comprenait. Qu'allait-elle devenir! Et l'autre, pourquoi n'était-il pas accouru?

Tout cela passa en deux secondes dans son cerveau. Puis il cessa de penser. Il semblait se paralyser sous les âpres morsures d'un vent glacial, et cependant sa tête brûlait. Quant à son cœur, elle ne le sentait plus. Elle avait la poitrine oppressée comme ceux sur lesquels a fondu une subite infortune; ses entrailles se tordaient, et elle sentait grandir sa terreur.

La voyant ainsi accablée, le séducteur haussa les épaules.

—Toutes les mêmes, murmura-t-il; elles veulent, puis ne veulent plus, puis elles veulent encore, et elles pleurent quand elles ont voulu.

Et n'ayant plus rien à tirer d'elle, il la baisa en riant, sur la bouche, et lui dit adieu.

Mais, comme il rajustait sa ceinture, il entendit un pas précipité et presque aussitôt des coups brusques à la porte:

— Afsia, disait Mansour, ma gazelle, c'est moi.

XLVIII

Il revenait plus tôt qu'Omar ne s'y attendait. Le spahis comptait sur une absence d'une heure et la moitié à peine était écoulée. Il s'était hâté; il haletait, ramenant avec lui une poignante inquiétude.

Là-bas dans les noires touffes des hauts glaïeuls, une lumière sinistre avait lui dans son cerveau.

N'avait-on pas voulu l'éloigner? ses chiens n'avaient-ils pas été attirés avec intention, loin du haouch au moyen de cette chienne maudite? et dans quel but? dans quel but?

Alors un frisson passa sur sa tête, comme si son crâne rasé avait été exposé au vent du Nord, et il rebroussa chemin, entendant derrière lui la voix du petit garçon semblable à un rire de djinn.

—Oh! disait-il en courant de toutes ses forces. Suis-je joué? suis-je joué? Et par qui? par un enfant! Maudit! maudit!

Il ne pouvait en dire plus; et il courait, talonné par le soupçon.

Puis, quand la fatigue brisa ses jambes et qu'il dut reprendre le pas pour respirer, il essaya de mettre quelques douches bienfaisantes sur sa brûlante inquiétude:

—Afsia n'ouvrira pas, j'en jurerais sur ma tète. C'est une fille sage. Elle déjouera les plans de mes ennemis. Comment ouvrirait-elle? Est-ce qu'elle sait ce qu'est le mal? Est-ce que son œil a jamais été terni par une image malsaine? Non, je suis sûr d'elle, comme de moi, plus que de moi. Et les fils du diable en seront pour leurs peines. La dérision tombera sur eux. Que Dieu les maudisse! qu'il les maudisse dans leurs pensées! qu'il les pourrisse, eux et leur génération. Ah! ah! ils s'en vont déjà, sans doute, plus honteux que des juifs qui se sont laissés voler par des chrétiens. Ah! ah! ah! nous allons rire.

Et il s'efforçait de rire, mais les sons qui s'échappaient de sa gorge sèche étaient si lugubrement saccadés, qu'ils ressemblaient à des sanglots.

XLIX

Cependant la lune, par-delà les limites de l'horizon venait de se débarrasser de son rideau de nuage, ainsi qu'une femme qui s'est dépouillée de ses vêtements et se montre toute éblouissante des éclats de sa jeunesse. Son globe démesuré inonda la campagne de sa molle et pâle clarté, éclairant la petite façade du haouch et aussi le cœur de Mansour. La maison était si tranquille, si enveloppée de silence et de calme, perle blanche dans son écrin vert, qu'il en fut tout joyeux. Il lui sembla même voir filtrer un filet de lumière, et il dit;

—Elle est là!

Et en même temps, la brise qui avait passé sur le jardin d'Afsia, lui arriva chargée des arômes familiers, comme si les fleurs aimées de la jeune fille venaient le saluer de leurs parfums et répéter avec lui: «Elle est là! Elle est là!»

Et à mesure que la petite maison grandissait et sortait plus distinctement des épaisseurs de l'ombre, toute trace de souci s'effaçait de son front et de son cœur. Il cessa de courir, se gourmandant même de ne pas être allé plus loin, au secours de l'enfant. «Car, disait-il, il est peut-être vrai que le petit drôle se soit enfoncé dans la boue du marais.» Et, si cela était, il passerait aux yeux du Cheik Ben-Kaouaidi et des chameliers de la plaine pour un homme au cœur dur et à la main fermée.

Mais il se consola bien vite, en pensant que l'enfant s'était tiré d'affaire, et que, dès le lendemain, il enverrait le plus beau de ses chiens au Cheik Ben-Kaouaidi.

Et, s'étant essuyé le front et le visage ruisselants de sueur, il arriva à la porte et frappa, tout joyeux de la trouver close.

—Ouvre, Afsia, ma gazelle, c'est moi.

Mais la porte ne s'ouvrit pas.

Il pensa que la jeune fille s'était endormie, et comme il écoutait, croyant saisir un bruit léger, il entendit dans le lointain, du côté de

Djenarah, les premiers coups de fusil annonçant la sortie des gens de la noce.

Alors, il frappa de nouveau et plus fort, répétant:

—Afsia! Afsia! C'est moi.

L

Elle ne se leva pas; elle ne fit aucun mouvement. Cette voix la clouait au sol. Elle n'éprouvait qu'une sensation, celle de ses entrailles qui se tordaient, et de son cœur qui battait si fort que sa gandourah en marquait les sauts. Ses yeux agrandis par l'épouvante, restaient fixés sur la porte, et à contempler son visage, on eût dit que le sceau dont sont stigmatisés les infidèles qui ne voient ni n'entendent, venait d'être posé sur ses oreilles et sur ses yeux.

Elle se disait: «Je vais mourir», et elle attendait la mort. Mais comme Mansour redoublait ses appels avec inquiétude d'abord, puis avec colère, elle implora du regard le spahis et le vit debout, immobile et fronçant son épais sourcil. Pâle comme elle, et les yeux fixés sur la porte ébranlée, il sortait lentement d'un fourreau de cuir rouge, un de ces longs couteaux à lame rayée, que forgent les armuriers Kabyles, et qui en un tour de main détachent des épaules la tête la mieux rivée. Il avait déjà fouillé la chambre et s'était assuré qu'il n'était d'autre issue que la porte de l'escalier conduisant à l'*oda* de la jeune fille. Mais là, pas d'échappée possible, car les deux fenêtres grillées étaient à peine assez larges pour laisser passer la tête d'un enfant. Il le savait; il avait étudié le haouch du dehors et n'ignorait pas qu'en cas de surprise, il lui faudrait livrer bataille, lutter de force, ou lutter de ruse. Il prit vite son parti, et, posant un doigt sur sa bouche pour commander le silence, se dirigea vers l'escalier, écarta le fondouk et disparut.

Quand il se fut enfoncé dans l'ombre, Afsia se leva avec effort, comme si le fardeau d'opprobre pesait déjà sur ses épaules, et alla tirer le verrou.

—Que faisais-tu? s'écria Mansour.

—Rien, dit elle.

—Pourquoi n'ouvrais-tu pas? Pourquoi ne répondais-tu pas? Tu m'as mis la nuit au cœur. Mais te voici! te voici!

Et il la prit dans ses bras, la regardant avec ivresse. Il pouvait la tenir maintenant sur sa poitrine; la course, l'inquiétude, la fraîcheur de la nuit avaient calmé ses sens; il n'en sentait plus les impétueuses exigences, et il appuya longtemps ses lèvres sur les tresses parfumées.

—Sais-tu, tofla? j'ai fait une course inutile. Rien là-bas, rien. Je soupçonne avoir été joué par un mauvais petit drôle, qui a voulu se venger de ce que je l'ai chassé avec son chien. Ah! j'ai eu peur un instant. Oui, tofla, j'ai eu peur qu'on ne vienne te voler.

Et il caressait les lourdes tresses, les prenait dans sa main comme pour s'assurer de leur poids, les soulevait, baisait les boucles frisottantes qui s'échappaient sur le cou nu.

Elle se laissait faire, ne parlant pas, n'écoutant pas, tout entière à son épouvante, tremblant entre ses bras comme une feuille qu'agite le vent.

—Puis, murmurait le thaleb, comme je frappais à la porte, j'ai entendu un bruit joyeux. Dans le lointain, dans le lointain, les premiers coups de fusil de la cavalcade nuptiale. Notre noce! tofla, notre noce!

Et comme il la regardait, prêt à lui couvrir de baisers le visage, il remarqua enfin son trouble.

—Sur la tête du Prophète! s'écria-t-il. Ma douce colombe, qu'as-tu?

—Moi! je n'ai rien, Mansour.

Il courut chercher la lampe, pour mieux éclairer sa face.

—Tu es pâle, comme si un noir *djinn* t'avait frappé de son aile. Es-tu malade, enfant? Afsia, chère Afsia, qu'est-il arrivé?

—J'ai besoin d'air. Laisse-moi sortir. Viens avec moi. Je veux entendre le bruit de la poudre. Partons, allons au-devant des cavaliers.

Il la retint par le bras.

—Tu me caches quelque chose, dit-il, possédé par le soupçon. Petite fille, je lis le trouble dans tes yeux comme en un miroir. En mon absence que s'est-il passé?

—En ton absence? balbutia-t-elle. Rien que je sache. Je t'attendais, et me suis endormie.

—Et le froid t'a saisie pendant ton sommeil, car tu trembles; et maintenant voici que tu as trop chaud; car le feu s'allume sur tes joues. Afsia! Afsia! qu'est-ce que tout cela signifie? Afsia! me tromperais-tu?

LI

Non, elle ne trompait pas, elle ne pouvait tromper, car la vérité se lisait sur son visage candide et dans ses yeux naïfs. Et cependant le vieux Thaleb, si expert en tous les artifices, n'y pouvait croire; le noir souci s'était logé dans les plis de son front, et le doute entrait dans les sombres abîmes de la navrante certitude, qu'il voulait encore espérer.

—Ce n'est pas possible, disait-il; non, cela ne peut être.

Ainsi, il arrive que, lorsque nous assistons tout à coup à la trahison d'un être aimé, nous ne pouvons d'abord en croire ni nos yeux qui voient le crime, ni nos oreilles qui entendent le parjure. Nous nous disons: «C'est un rêve», et nous nous tâtons pour voir si nous sommes éveillés. La folie de nos sens nous paraît plus possible que celle de notre cœur, et nous aimons mieux être hallucinés que dupes. Mais, hélas! la vérité éclate; il faut nous rendre à l'évidence, nous sommes dans notre bon sens, et c'est notre cœur qui est fou.

C'est pourquoi Mansour cherchait à s'abuser, tandis que sa pensée se débattait dans les angoisses du délire. Il s'était reculé pour mieux examiner la jeune fille, voulant plonger ses yeux dans son âme. Mais, elle, naïve dans le mal et ignorante dans le mensonge, tenait ses paupières baissées.

—Lève la tête, dit-il, montre ton visage, et, comme une fille dont nulle tache n'a souillé le front, mets ton œil dans mon œil.

Elle essaya d'obéir, mais ses grands yeux craintifs ne purent soutenir son farouche regard.

—Oh! répéta-t-il, par Dieu, qui ne dort ni ne rêve, que s'est-il donc passé?

Et lui meurtrissant les poignets, dans sa colère grandissante, il cria:

—Fille de Fathma! Par le Maître des Nuits, réponds; sur ta tête, réponds; qu'as-tu fait?

—Laisse-moi, supplia-t-elle, ne me fais pas de mal.

—Dussé-je briser ces bras et faire entrer ces anneaux dans ta chair, je ne te lâcherai pas avant que tu ne m'aies dit pourquoi tu n'oses me regarder en face.

—Parce que tu me fais peur.

—Je te fais peur! Peur! Depuis que je t'ai appris à balbutier tes premiers mots, et il y aura quatorze ans demain, tu ne m'as jamais jeté cette odieuse parole. De quoi donc as-tu peur? Les coupables seuls doivent trembler!

Et, regardant autour de lui, il remarqua le *fondouk* déplacé et la porte de l'escalier restée entr'ouverte.

—Oh! oh! quelle main a remué ce fondouk?

—Moi, dit la jeune fille, que le sentiment du danger rappelait à elle; je suis montée dans ma chambre pour voir si rien n'y avait été oublié; mais il n'y a rien, plus rien.

—Toi! Malédiction de Dieu! Toi! Par celles qui éparpillent la race d'Adam et secouent le malheur comme un tapis souillé, au-dessus de nos têtes, tu es devenue forte en peu d'heures! Le sommeil et mon absence t'ont profité. C'est bien! J'aurai une épouse vigoureuse. Elle pourra porter mes besaces, si quelque jour la pauvreté me harcèle sur les chemins. Mais les senteurs dont ta chambre est encore pleine, descendent jusqu'ici et me montent à la tête; va fermer la porte et pousse le fondouk, pour qu'elle ne s'ouvre plus.

Afsia alla. Mais vainement elle y employa toutes ses forces; sous ses petites mains, le grand coffre de chêne ne s'ébranla pas plus qu'un roc sous le souffle du soir.

Elle se retourna et vit Mansour, les bras croisés, les yeux attachés sur elle.

—Je suis fatiguée, balbutia-t-elle; je ne puis plus, non, je ne puis plus.

Il la regardait, et l'ironie plissait ses lèvres blanches. Ce n'est plus Mansour le père, Mansour le Bienveillant, Mansour l'Heureux: c'est un homme qu'elle ne reconnaît plus, et qui porte, sur sa face, dans ses yeux jaunis par la bile, dans le rictus convulsif de ses joues, la marque des colères implacables.

Alors, affolée, elle se recula jusqu'au mur et murmura, les mains jointes:

—Pardon!

—Pardon! répéta-t-il d'une voix creuse. Tu demandes pardon! Mais de quoi donc te pardonnerai-je, puisque j'ignore le crime commis... tu n'oses le dire, est-il donc si honteux, que tu rougisses de l'avouer.... Alors, je vais moi-même le découvrir, car je commence à comprendre... oui, je vois ce que c'est.

LII

Aɪɴsɪ qu'il eût fait d'une gerbe, il la coucha sur son bras gauche, lui arrachant sa ceinture, le *foutah* et le pantalon de soie. Puis, soulevant la chemise de gaze collée à ses flancs, il la lui rejeta sur le visage, comme on jette le linceul sur la face des morts.

Et, toute frissonnante, elle resta étalée, nue depuis les seins jusqu'aux chevilles.

Alors parurent les souillures de la profanation.

Sans prononcer une parole, il repoussa violemment la fille déflorée, et porta la main à son front, s'appuyant, en chancelant, à la muraille. On eût dit qu'il venait d'être frappé à la tête; seul le cœur avait reçu le coup, et il en restait étourdi.

Mais, se souvenant que son rival était là sans doute, moqueur et triomphant, il se roidit contre la douleur. Son orgueil d'homme fort, sa vieille énergie, la mémoire du passé, il fit appel à tout pour lutter contre le présent, et, remonté comme un rouage, tous les ressorts de ses nerfs tendus, il poussa un grand éclat de rire.

Ce rire, semblable à un cri d'angoisse, il l'avait poussé déjà, alors qu'il courait dans la plaine, à la certitude de son infortune. C'étaient ses larmes qu'il essayait de refouler, ses gémissements qu'il voulait étouffer et qui s'échappaient sous cette forme de sanglot. Il résolut de se montrer plus calme.

Du ton bas et lent d'un homme qui réfléchit et cause avec lui-même, il parla au-dessus de la tête d'Afsia, accroupie sur le sol, dans la position où elle était tombée, couvrant de ses bras son visage et sa honte.

—Fini, disait-il, fini. On ne peut rien contre ce qui est. Je voudrais oublier, je ne le pourrais pas. Je voudrais pardonner, je ne le pourrais pas. J'essaierais de fermer la blessure, que resterait éternellement la cicatrice. Prophète de Dieu, c'est donc le châtiment qu'Allah me réservait!

Un soir, solitaire, accablé et las, je me suis dit: «Assez! La débauche laisse l'étourdissement, mais ne laisse pas l'oubli; l'ivresse partie, la mémoire revient; et il me faut ensevelir tout mon passé dans un cœur.» Ce cœur, je l'ai cherché du Nord au Midi, du couchant à l'aurore. Car, pour que la bien-aimée ne traîne, comme moi, derrière elle, une souillure qui noircisse sa vie, que nulle tache ne vienne s'étendre sur l'azur de ses heures, qu'elle n'ait ni le regret d'un souvenir, ni le remords d'un passé boiteux et louche, pour que je trouve dans l'étincelle de ses yeux, l'illumination de mon avenir... il me la fallait vierge.... Et dans un jour de folie, j'ai été la prendre au ventre de sa mère, pour être certain de l'avoir immaculée. Et depuis, je ne l'ai pas quittée; pendant quatorze ans j'ai veillé sur elle. Pas une pensée d'elle qui n'ait été à moi; pas un geste que je n'aie connu; pas une parole que je n'aie entendue. Et lorsqu'après quatorze ans, j'allais me donner cette femme que j'avais bien gagnée par mes soins, mes sacrifices et mon amour, lorsqu'elle était pure comme Ève avant qu'Adam n'ait planté dans ses flancs la race maudite, il a suffi d'un instant où mon œil n'était pas sur elle, pour que, ayant laissé une vierge, je retrouve, quoi?... Quoi?... Comment cela est-il arrivé?... Elle n'avait cependant pas les désirs malsains qui tourmentent les jeunes et les poussent à fuir le toit béni du père, à chercher dans l'inconnu funeste, un autre toit et un autre horizon. Rien n'avait encore souillé sa pensée. Elle ignorait dans son innocence la différence entre les fils et les filles d'Adam! Un bouton de rose! Une fleur entr'ouverte au matin et sur laquelle nul souffle n'a passé! Une vierge sans pareille, inconsciente de sa virginité! Et voilà! Fini, c'est fini! Une seconde et tout s'écroule! Souillé, le bouton! Flétrie, la fleur! Une sale chenille a bavé dans ce calice. Quelque pourceau ivre est venu se vautrer sur cette rose! Sur ce ventre de houri, il s'est pollué et a craché ses immondices. Sous mes yeux, oui! jusque sous mes yeux, pendant qu'il me faisait duper par un enfant, un lâche coquin m'a volé ma joie, mon honneur, mon bonheur, mon avenir, quatorze ans de sollicitudes, mes espérances, toute ma vie, et de cette merveille humaine, de cette houri du ciel, de cette vierge, il me laisse une prostituée!

Et, à mesure qu'il parlait, il perdait son calme et reprenait sa colère.

—Une prostituée! continua-t-il. Une prostituée qui ment et qui trompe et qui se couvre le visage du masque du repentir. Chienne, fille de chienne, debout! hurla-t-il en la poussant du pied; depuis quand me trompes-tu? Où l'as-tu vu! De quel art infernal as-tu su envelopper tes mensonges, pour qu'ils ne s'étalent pas à mon regard! Et combien t'a-t-il payé ta honte, celui qui se cache là-haut, le voleur, le chien, le destructeur de renommée, le lâche larron d'honneur! Car il est là-haut, n'est-ce pas? il est là-haut celui dont je vais faire un cadavre, que dépeceront mes chiens.

Ah!

Ah! grasse pâture! Debout, slouguis, à la curée! à la curée!

Et il décrocha de la muraille son long fusil de guerre, chargé et prêt pour la fantasia.

LIII

Afsia n'avait pas tressailli sous l'insulte, et lorsque le pied de Mansour la frappa sur les hanches, elle resta courbée; mais entendant le craquement de l'arme, elle se dressa et bondit sur lui.

—Ne le tue pas, cria-t-elle, ne le tue pas, je ne veux pas que tu le tues.

Elle pesait de toutes ses forces sur sa poitrine, essayant de saisir le fusil, plongeant, ayant banni toute honte, ses yeux terrifiés et suppliants dans ses yeux durs et secs.

—Ah! tu crains pour sa vie!

—Tue-moi. C'est moi qui ai ouvert, c'est moi qui ai agité mon haïk, et il a cru qu'il fallait venir. Tue-moi, c'est ma faute; c'est moi qui ai tout fait. Oh! si tu m'as aimée, tue-moi.

Il la regardait et ses yeux brillaient d'un éclat farouche.

—Comme tu l'aimes! dit-il.

—Non, je ne l'aime pas, je ne le connais pas; mais, c'est moi qui suis coupable et je ne veux pas que tu le tues.

—Toi coupable! Toi! *Allah Kebir! Allah Kebir!* C'était écrit. La tête du fort est courbée sous la main implacable. Les vieux me l'ont dit aux jours de ma jeunesse: «Ame pour âme, œil pour œil, dent pour dent, blessure pour blessure.» Celles du cœur comptent double; car elles ne guérissent plus; c'est le cœur que j'ai frappé jadis, je suis puni. C'est justice. Rassure-toi pour la vie de l'homme. Sa vie, il y a quatorze ans que je la lui ai promise, je l'ai juré sur ton berceau. Par la fosse ouverte au bout de la route humaine, et où, grands ou petits, heureux ou misérables, voleurs ou dupes, nous serons tous couchés, la fortune qui m'a trop longtemps caressé, me brise aujourd'hui. Elle a placé sur mes pas mon maître, elle a dressé, pour me barrer le chemin, un plus habile et plus fort, je dois le saluer, oui, je me souviens, et l'appeler Seigneur!

Et, écartant brusquement la jeune fille:

—Eh! là-haut, cria-t-il, l'homme, l'amant, le djinn, le diable, qui que tu sois, descends et montre à ton esclave la face de son Seigneur.

Il y eut un instant de silence. Enfin, on entendit un pas lent, et Omar, poussant du pied la porte, se montra dans la pénombre, le poignard à la main.

LIV

Le regard du jeune et celui du vieux se croisèrent comme des lames sanglantes. La main de chacun se crispa sur son arme, mais le vieux posa sur le sol la crosse de son fusil.

—Fais un pas, homme, encore un pas, que je contemple ta face. Et toi, *tofla*, arrière. Ah! je t'ai vu une fois, je me souviens, et ton œil a laissé sur mon âme une empreinte sinistre. Avance, ne crains rien. Par le Koran glorieux! par la sainte Kaaba! par l'étoile, quand elle se couche! par le souverain des deux Orients et des deux Occidents! je le jure, homme, tu peux remettre ton flissa dans sa gaine.

Mais l'autre:

—Me prends-tu pour un fou de penser que je resterai désarmé devant ta furie?

—Ta méfiance m'est une preuve que tu manques de foi. Le soupçon chez les jeunes est l'indice d'une âme basse. O Afsia! Afsia! à qui t'es-tu livrée? Mais ce que j'ai dit est dit. Homme, quand j'avais ton âge, j'ai voulu rompre la destinée en prenant une route mauvaise, c'est elle qui m'a rompu. Elle me rend ton jouet. Mais, malgré mon abaissement, je suis de ceux dont la parole est sûre. Cette arme, la voici. Et maintenant, maître, apprends-moi de quel nom je dois te saluer.

—Je voulais te le demander, répondit froidement le soldat; car je m'appelle Omar tout court, Omar, sans nom de père; mais le marchand Lagdar-ben-El-Arbi, du Ksour de Msilah, m'a affirmé que toi seul pouvais me renseigner.

Mansour leva ses bras au-dessus de sa tête:

—Ladgar! Lagdar-ben-El-Arbi! C'est donc lui qui t'envoie! Lui qui t'a conseillé? Je comprends, je comprends tout. O Meryem! Meryem!

—C'est le nom de ma mère, riposta le spahis. Pourquoi l'évoques-tu? Y a-t-il quelque chose de commun entre elle et toi? Quand j'étais enfant, mes petits camarades, ceux qui avaient un père, prononçaient en riant ce nom devant moi et ils y ajoutaient celui de *Cabah* (fille perdue), je les battais, mais ils se liguaient tous contre moi et criaient plus fort *Ben-Cabah! Ben-Cabah!* fils de prostituée! fils de prostituée! Et c'est moi l'insulté qui étais le battu. Je me révoltais plein de rage contre cette injustice d'enfant, mais j'ai su depuis que c'était la justice des hommes! Entends-tu, homme, Meryem, appelée *Cabah! Cabah!* Ma mère au doux visage et au regard modeste! Ma mère chassée avec son fils dans le désert, comme on nous enseigne que jadis le fut Hadjira par le scélérat Ibrahim; ma mère, errante dans les chemins sans asile et morte dans la misère et sous l'affront. Et par la faute de qui? et par le crime de qui? Pourquoi me regardes-tu, comme si tu voyais la face d'un fantôme? Parle, homme! Ah! tandis qu'on t'appelait Mansour l'Heureux, le bruit de tes insolentes bonnes fortunes est arrivé aux oreilles d'un petit enfant qui s'appelait lui-même Omar le Maudit!

Mansour voulut parler; il ne put. Sa gorge était sèche et son œil humide. Il tendit un bras vers le fils de Meryem et une larme coula sur sa joue ridée.

—Réponds donc, homme, répéta Omar. Est-il vrai que tu puisses me dire le nom de celui qui m'a engendré?

—Fils de *Meryem-bent-El-Kétib*, répondit enfin le Thaleb d'une voix sourde, si tu connais le nom de ton père, pourquoi me le demandes-tu? Si tu ne le connais pas, sache qu'il est à jamais souillé et il vaut mieux que tu l'ignores. Pars en paix, et retourne vers celui qui t'a envoyé, vers ce marchand Ladgar et dis-lui qu'il est... vengé.

—Je ferai comme tu le désires. Mais je veux entendre de ta bouche le nom de celui qui m'a jeté aux flancs de Meryem.

—Ton insistance me peine. C'était assez d'humiliations en un jour. Que veux-tu faire de ce nom?

—Le maudire!

Mansour courba la tête. Mais, se redressant tout à coup, il regarda son fils en face:

—Écoute, dit-il. Je vois à tes paroles et plus encore au feu de tes yeux que tu sais la vérité. Tu as raison, tu ne me dois rien que la haine. Celui qui sème l'ivraie ne doit compter que sur une récolte d'ivraie.

Mais entends ceci. Celle que tu vois, éplorée et écoutant avec épouvante se déchirer le rideau que j'avais mis entre elle et les immondices de la vie, celle-là est la fleur la plus suave de la plaine, et jamais, de la mer aux flots bleus jusqu'à celle qui roule ses vagues grises au-delà des palmiers, les croyants et les giaours n'ont vu pareille merveille. Elle est souillée par toi, mais tu peux en effacer la souillure. Je te la donne. Prends-la. En te la donnant de plein gré, je m'acquitte de tout ce que je pouvais devoir au fils de Meryem. Adieu.

Il dit, et, baissant ses yeux farouches, il s'assit sur la natte de jonc. Et, détachant de son cou le chapelet à grains d'ivoire, seule relique qui lui restât de son père, il l'égrena fiévreusement, murmurant d'une voix rauque «*Allah Kebir! Allah Kebir! Allah Kebir!*». Il essayait ainsi de faire taire sa pensée et de rester sourd à l'agonie de son âme.

L'accent douloureux vibra jusque dans le cœur d'Afsia, et elle se prosterna à ses pieds, suppliante.

—Non! garde-moi. Je ne veux pas aller avec lui. Permets-moi de rester ici, je serai ta servante... ta servante seulement, Mansour.

Mais lui, s'enveloppant dans son infortune comme dans une écorce de chêne, où heurtaient vainement les sanglots:

—Éloigne-toi, dit-il rudement; ce qui est fait est fait, ce qui est dit est dit. Les pleurs peuvent laver la faute, ils glissent sur l'affront. Va-t'en.

Puis, mettant ses regards en-dedans de lui-même, ne voulant plus rien voir, ni rien entendre, il rabattit sur sa tête le capuchon de son burnous et continua d'une voix forte:

«*Allah Kebir! Allah Kebir! Allah Kebir!*»

Omar sourit, et, saisissant la jeune fille par le bras, l'entraîna au dehors.

—Viens, dit-il, puisqu'il te chasse!

Mais sur le seuil elle s'arrêta, et, jetant un regard désolé sur cet homme qui voulait s'isoler dans son malheur, sur cette chambre illuminée pendant tant d'années de sa gaîté et de sa jeunesse, elle fut prise d'angoisses, et s'attachant à la porte de sa petite main restée libre, elle cria:

—Mansour! Mansour!

Mais lui, sans faire un mouvement, répétait son invocation:

«*Allah Kebir! Allah Kebir! Allah Kebir!*»

LV

Mansour écouta le bruit des pas qui se perdait dans la nuit, puis, quand tout se tût, il releva la tête; la lampe, posée devant lui, éclaira la face d'un vieillard. L'infortune venait de lui arracher son masque de virilité, et de l'homme fort de jadis, il ne restait qu'un feu sombre dans la prunelle: la dernière lueur du foyer qui s'éteint. Son âme mourante concentrait là son reste de vigueur.

Il regarda la chambre vide, comme s'il s'étonnait de la trouver vide, puis il voulut se lever; ses jambes fléchirent et il retomba lourdement sur la natte.

—Eh quoi! dit-il ricanant, suis-je si vieux? Ah! le beau fiancé!

Ce mot de fiancé fut comme un coup de fouet cinglant sa vieille carcasse; il se traîna jusqu'à la porte et écouta. Mais il n'entendit rien de ce qu'il espérait entendre, le pas de celle qu'il avait tant aimée.

—Partie, dit-il, partie! Est-ce bien possible! Afsia est partie, et c'est moi qui l'ai chassée, et je ne la verrai plus. Pour la dernière fois, j'ai entendu le bruit de ses pas qui m'égayait le cœur, le son de sa voix qui chantait dans mon âme; sa voix, sa douce voix! je ne l'entendrai plus! Afsia, ma gazelle blanche! Et c'est moi qui l'ai chassée! Je l'ai chassée! Elle! elle! Que n'a-t-elle tardé une minute! Que n'est-elle venue une seconde fois pleurer sur ma main! J'aurais tout pardonné. Oui, j'allais tout pardonner, malgré l'autre qui était là et qui raillait. Mais elle a voulu le suivre; elle s'est laissée brutalement pousser par cet homme, sans protestation, sans revenir sur ses pas, déjà soumise à lui, comme s'il avait d'autre droit sur elle que le viol et le rapt, se contentant de crier à la porte: Mansour! Mansour! Ah! si elle revenait, si elle s'échappait de ses mains, si elle courait à moi et qu'elle me crie encore: Mansour! Mansour! Il en est temps: Comme j'ouvrirais mes bras. Je la lui disputerais bien. Que m'importe sa souillure! Je la laverais, je l'effacerais, j'y mettrais à la place l'immensité de mon amour. Qu'importe qui lui ait mis cette souillure? Je ne le connais pas. Sais-je s'il dit vrai? Le fils de Meryem! je ne le connais pas; je ne veux pas le connaître. Je connais Afsia! Afsia! Afsia!

Il écouta; son cri resta sans écho. Rien ne répondit qu'un bourdonnement confus du côté de Djenarah; des voix d'hommes et des pas de chevaux.

—Et les autres qui approchent, dit-il, qui viennent avec leur insolente joie. Oh! ce ne sera pas. Non, ce ne sera pas. Les forts font plier le malheur et brisent comme un bâton le *sort* que leur jettent les *djenouns*. Je suis fort, je suis fort, et pendant plus de trente ans, les hommes m'ont appelé l'Heureux.

Étendant le bras, il ressaisit son grand fusil de guerre, le *moukhalah* qui ne manquait jamais son coup, puis, secouant ses membres roidis, il crut sentir encore une fois couler en lui toute la vigueur des jeunes, et s'élança dans les ténèbres:

—Fils de Meryem, à nous deux!

LVI

Il prit sa course à travers la plaine, suivant le même sentier parcouru une heure avant, alors que, poussé par les aboiements de ses sens en délire, il craignait de prolonger son dangereux contact avec sa fiancée.

Oh! qu'il eût mieux fait d'oublier ses serments, de se moquer des rires du lendemain, de se voler lui-même; elle ne s'en irait pas avec un autre, la nuit, à travers les chemins!

Et il courait vers le marais. C'est la voie qu'ils avaient dû prendre, fuyards honteux, pour éviter les gens de la noce.

Bientôt, en effet, il aperçut les deux ombres qui allaient lentement dans les hautes herbes. Il voyait leurs têtes et de temps en temps celle de l'homme se penchait sur celle de la *fiancée*.

—Arrête, cria-t-il haletant, car la course l'avait rompu, arrête, toi qui me voles mon épouse.

—Ton épouse est à moi, riposta l'autre. Quoi! t'es-tu ravisé et viens-tu la reprendre. Les gens de Djenarah ont donc dit vrai, en affirmant que tu n'avais pas de scrupules et qu'aux jours de ta jeunesse tu cherchas une maîtresse dans le lit de ton père? Mais tu te trompes, vieillard, si tu crois que je veuille laisser cette belle fille en pâture à ta froide lubricité.

Sous cette insulte, les yeux de Mansour lancèrent des reflets rouges comme aux heures de tempête où il criait aux guerriers de son goum:

«En avant, jeunes gens, à la nage, à la nage! Ce n'est pas le plomb, c'est le destin qui tue!»

Et il épaula l'arme:

—Afsia, cria-t-il, baisse-toi.

Mais ce ne fut qu'un éclair, il remit son fusil au pied et se contenta de dire:

—O toi qui es entré dans une maison calme et radieuse, et en es sorti y laissant la mort et la nuit, oublie mon nom, moi je ne te connais plus. Oublie-le jusqu'à l'heure où le châtiment ouvrira brusquement ta porte et entrera sous ton toit comme tu es entré sous le mien; alors tu te souviendras de ton père *Mansour-ben-Ahmed.*

—Tu l'as dit toi-même, je ne lui dois rien, répliqua l'autre. Que la malédiction dont il me menace retombe sur sa tête!

—O fils de Meryem, je ne te maudis pas. Que le prophète me garde de te maudire, c'est assez que ma tête soit vouée. Mais écoute mon conseil ou plutôt ma prière. Que celle que tu emmènes ne trouve jamais ses heures lourdes; enveloppe-la de bien-être et d'amour.

Puis, s'attendrissant en dépit de lui-même:

—Et toi, Afsia, tu emportes ma vie et je n'ai plus le droit de te retenir. A côté de la tienne, pleine d'espérance, la mienne, pleine de désolation ne doit pas compter. Mais j'ai peur pour toi, je crains que tu ne t'en ailles accouplée au mal à quelque destinée maudite. Écoute, mon enfant, écoute mes dernières paroles. Si jamais le désastre venait frapper ta tête, souviens-toi! souviens-toi qu'il y a quelque part dans la plaine, loin des sultans, des méchants et des envieux, un haouch, le tien, qui restera dans la tristesse et dans l'ombre jusqu'à ce que tu viennes l'ensoleiller par ton retour. La porte en sera pour toi constamment ouverte; viens le jour, si tu peux marcher le front haut; viens la nuit, si tu redoutes les regards; viens couverte d'habits de fête ou couverte d'opprobre et vêtue des haillons des misérables, viens maudite des hommes et délaissée de Dieu; le vieillard qui devait être ton époux et qui n'eût dû songer qu'à rester ton père, t'attendra, te gardant jusqu'à son heure dernière ta place à son foyer et ta place dans son cœur. Et maintenant, un mot d'adieu: Va avec la paix! Va avec la paix! Va avec la paix!

Et il écouta si elle lui répondrait, si elle lui criait adieu, mais il n'entendit rien; alors, il s'agenouilla le front sur la terre, mouillant de ses larmes la poussière du chemin.

Entraînée par la main impitoyable, Afsia marchait toujours et, lorsqu'elle voulait se retourner, émue jusqu'au fond des entrailles par cette voie douloureuse, lorsqu'elle voulait revenir sur ses pas et crier: «Mansour, Mansour, me voici!» l'autre lui fermait la bouche en la poussant devant lui:

—Marche! marche! disait-il.

Et elle marchait en sanglotant. Elle marcha jusqu'à ce qu'elle entendit par trois fois son nom dans la nuit:

— Afsia! Afsia! Afsia!

Et elle s'affaissa sur le chemin.

LVII

Cependant, les invités de la noce s'avançaient, bruyants et joyeux.

Jeunes et vieux étaient à cheval, et le Caïd les précédait. Pour faire honneur à son frère, il avait convoqué les cheiks d'alentour, et tous avec leurs cavaliers, le fusil sur la cuisse, chatouillaient de leurs longs éperons ou du coin aigu de l'étrier, les flancs des fiers étalons et des ardentes cavales qui, surexcités et narines fumantes, bondissaient en mâchant le mors, impatients d'être lancés à la brillante fantasia.

Car déjà, on approchait du haouch; on l'apercevait noyé dans les premières lueurs de l'aube, enfoui dans sa verdoyante oasis.

«A la nage, jeunes hommes, à la nage! A la nage sur vos coursiers! Voici le moment de déployer votre force et votre adresse, le moment de montrer, aux plus beaux yeux du Souf, comment les enfants de la plaine savent manier un fusil et un cheval.

«Car, la belle Afsia, la fiancée du vieux Thaleb, ouvrira sur tous ses grands yeux de gazelle et qui sait si elle ne remarquera pas quelqu'un d'entre vous. Alors, ce soir, dans les bras de son vieil époux, le souvenir du cavalier traversera peut-être sa pensée et elle se dira: «Que n'est-il à mes côtés à la place du vieux!» Et assister, en tiers invisible, à la nuit amoureuse, n'est-ce pas un pas pour entrer dans le cœur?

A la nage, jeunes gens, à la nage! Aujourd'hui, c'est jour de poudre. Haut les fusils et feu!»

Et retentit la détonation, longue, crépitante, qui déchira, joyeuse pétarade, le grand silence de la vallée.

Et tous s'élancèrent au galop.

LVIII

A la nage, à la nage! Et, comme un escadron de *djenouns*, ils passèrent, tumultueux et rapides, ébranlant le sol sous leurs pieds.

«A la nage! à la nage! Thaleb! Thaleb-El-Messaoud! Le salut soit sur toi! La bénédiction sur ta tête! L'Heureux, l'Heureux! gloire à l'Heureux et à sa fiancée!»

Et les jeunes, et les vieux, et les femmes et les filles assises sur les mules, acclamant de leurs cris saccadés, et les krammès qui couraient derrière, et la négresse Mabrouka qui témoignait sa joie par ses éclats de rire, et l'étalon du marié, l'arrière-petit-fils de Naama, la belle coureuse, tout bridé et harnaché de cuir rouge brodé d'or, présent du Caïd, et la mule blanche caparaçonnée d'or et de soie, destinée à l'épousée, tout passa comme un éclair. A la nage! à la nage!

Et, dans les hautes herbes du petit chemin creux, un homme à barbe blanche et aux yeux farouches, accroupi comme un fauve sinistre, les coudes sur les genoux et la face dans les poings, les regardait passer.

Et à cinquante pas derrière la cavalcade il vit, sur une mule grise pareille à celle qui avait emporté jadis la fille du Muezzin El-Ketib dans les sables, un gros homme à mine florissante et railleuse qu'il reconnut pour être le marchand Lagdar-ben-El-Arbi, l'ancien fiancé de Meryem.

Et les petits oiseaux éveillés emplirent les buissons voisins de leurs premières notes joyeuses, les poules d'eau battirent des ailes, et l'alouette, s'élevant dans les airs, lança gaîment sa chanson:

Va, bon drille.
Au larcin!
Doux butin,
Pille, pille!

LIX

Ce fut une grande risée dans la ville, et les ennemis de Mansour s'en allaient criant par les rues, et sur les marchés:

«C'est le châtiment! c'est le châtiment!»

Le Caïd, honteux de son frère, défendit qu'on prononçât son nom devant lui.

Quant à Mansour, il ne se montra plus.

Et, depuis ce temps, le haouch de la plaine d'Ain-Chabrou est triste comme une fosse qui attend son mort. Cependant, de même qu'autrefois, le soleil le caresse, l'oasis verdoie, les chants des oiseaux éclatent dans les buissons, et le ruisseau s'en va courant sous les saules. Mais les grandes herbes sauvages ont envahi le seuil; la mousse, semblable à des plaques de lèpre, ronge les murs crevassés, le toit effondré laisse entrer les pluies d'orage, et la porte, battue dans une nuit de tempête, tombe à moitié brisée sur l'un de ses gonds tordus. Dans la chambre d'Afsia, de grandes araignées rousses tendent à tous les coins leurs toiles perfides, et les couleuvres font leur nid sur la couche où elle reposait.

Parfois, dans les nuits noires, il s'y élève des clameurs sinistres, mêlées aux aboiements des chiens affamés et aux jappements des chacals. Nul n'ose en approcher, car les chameliers de la plaine le disent hanté par Eblis le Maudit. Mais ce n'est que Mansour le Maudit qui l'habite et qui paye au destin les trente années où on le surnommait l'*Heureux!*

Les bruits entendus, c'est sa voix lamentable, lorsque l'insomnie le chasse de sa natte de jonc pourri pour l'envoyer errer dans les noirs sentiers du marais. Le vieux fou s'imagine que sa fiancée doit revenir, et il appelle et attend toujours.

Mais ni lui, ni les gens de Djenarah, ni les chevriers de la montagne, ni les chameliers de la plaine, ni les pâtres de la vallée n'ont revu celle qu'on appelait la *Fiancée de Sidi-Messaoud*, ou la *Vierge d'Ain-Chabrou.*

ÉPILOGUE

Par une chaude après-midi, le lieutenant *Omar-bou-Skin* vint s'asseoir sur un banc de pierre de la voûte *Dar-el-Bey*.

Les chevaux de l'escadron de Constantine étaient partis à la rivière, et il attendait leur retour en chantonnant quelques-uns de ses couplets favoris:

Ses lèvres sont une coupe
Où je bois la volupté,
Et sur sa divine croupe
J'irais dans l'éternité.

Il devait se marier le lendemain avec une fillette de douze ans, jolie comme un rêve d'amour, qu'il avait payée deux cents douros, et il était tout joyeux.

En ce moment, une femme arabe enveloppée d'une élégante moulaia de laine fine et la jambe couverte du bas blanc bien tiré qu'affectionnent les filles libres, s'approcha lentement.

L'officier la regardait en souriant, car elle avait de grands yeux de gazelle, purs et pleins d'éclat, et sous son haik on devinait la jeunesse et la grâce.

Quand elle fut près de lui, elle s'arrêta et de ses yeux jaillirent des étincelles.

Il continuait à sourire, et tout à coup le sourire se glaça sur ses lèvres: la jeune femme avait écarté son voile.

—Toi! dit-il, pâlissant et presque effrayé... que veux-tu?

Il fit un mouvement pour se lever, mais il retomba lourdement sur le siége de pierre. Le manche en bois d'un long poignard kabyle planté dans sa poitrine se dressa au-dessous du cou.

Il ouvrit la bouche pour crier, et une seule syllabe, répétée trois fois, s'échappa comme d'un râle:

—Af.... Af.... Af....

Le sang qui jaillit à flots emporta le reste dans l'éternité.

Toute blanche et l'œil hagard, la femme resta quelques secondes penchée sur sa tête, puis, froidement:

—Il est mort! dit-elle; c'était écrit! Mansour est vengé!

Les spahis de garde se ruèrent furieux, quelques-uns le poing levé, mais, la voyant si belle, aucun ne frappa.

Elle ne prononça pas une parole et se laissa emmener sans résistance. Aux questions du juge français et même à celles du cadi, elle garda un silence obstiné.

Tout ce qui fut révélé par l'enquête, c'est qu'elle avait été longtemps la maîtresse favorite du lieutenant Omar-bou-Skin, et qu'elle était bien connue des officiers sous le nom de *Meryem*.

On la fusilla, un matin de mai, sans grand appareil, dans un champ en friche, au sud de Constantine, près de la route qui conduit au Pays des Palmiers.

Allah Kebir! Allah Kebir! Allah Kebir!

FIN

Milton Keynes UK
Ingram Content Group UK Ltd.
UKHW051016201023
430769UK00009BA/309